JN278522

DVD付

ナイスバディ

モムチャンダイエット

チョン・ダヨン

講談社

「いい加減ダイエットしないと……」

「あと２～３キロやせたらベスト体重なのに～」

「これ以上太ったらヤバい！」

「とにかく30キロは落とさないと……」

「元の体重に戻れば若返るハズ！」


多かれ少なかれ、ほとんどの女性がダイエットについて一度は考えたことがあるのではないでしょうか？

体重計に乗り、焦りを感じ、「明日から食事制限するぞ！」そんな気持ちになったことはありませんか？

そこで提案です。

体重計に乗る前に裸になって一度鏡の前でじっくり自分と向き合ってみてください。

あなたはどんなところが気になりますか？

ぽっこり出たお腹？

Prologue
はじめに

前作より大幅に改編！

- エクササイズの内容を一新・ダンベルやベンチも必要なし・
より効果的で効率的なエクササイズを掲載しました！
- エクササイズは正しい姿勢で行わないと効果が出ません。
DVDにて正しい姿勢が確認できます！
- ストレッチを追加！
- エクササイズはチョン・ダヨンがすべて行っています！
- チョン・ダヨンの普段の食事メニューや特別レシピも掲載！

垂れ気味のヒップ？

ぷるぷると揺れる二の腕？

体重さえ減らせばそれらは解決できるでしょうか？

答えは「NO」です。


「やせる」ことと「プロポーションを整える」ことは、まったく違います。

独身時代、私はエクササイズをしたことがありませんでした。肥満とは縁がないと思っていました。

しかし、見た目はやせているけれども、腕や足には力がなく、ぷよぷよしたぜい肉は揺れるほどありました。

それが女性らしい体だと思っていたのです。


今、我が家には体重計はありません。

あるのは全身を映せる鏡だけです。

見た目は気にせず、数値だけにとらわれることほど意味のないことはありません。

ダイエットとは「食事制限をすること」という概念から抜け出しましょう。

ダイエットの本来の目的は、まずは健康になり、そしてすばらしいプロポーションへと作り上げていくことです。

モムチャンダイエットは私が試行錯誤の末たどり着いたダイエット法です。

モデルでも女優でもない平凡な主婦が、このモムチャンダイエットですばらしいプロポーションを手に入れたことで自分に自信を持て、そして本当に幸せで充実した日々を送れるようになったのです。

正しいエクササイズ、正しいダイエットとはどういうことなのかをぜひ知ってください。

そして、鏡の中のすばらしいプロポーションのあなたにぜひ出会ってください。

モムチャンダイエットでは美しいプロポーションだけでなく、健康な肉体をも得ることができるのです。

毎日エネルギーにあふれる輝いた日々をぜひあなたも体験してください。

モムチャンダイエットは嘘をつきません。やればやっただけの結果が出ます。

一度っきりの人生です！

「ダイエットをしなければならないのに……」

と嘆いて毎日を送るのですか？

もう少しだけ満足のいく毎日を過ごしたいですか？

堂々と自信に満ちた毎日を過ごしたいですか？

楽しく、活気的で、幸せな毎日を過ごしたいですか？


それなら、動いてください。

エクササイズは、頭や口でするのではないのです。この本を読んだらすぐに立ち上がり、最初はどんな動作でもよいので、ぜひ体を動かしてください！

Contents

目次　CONTENTS

Contents

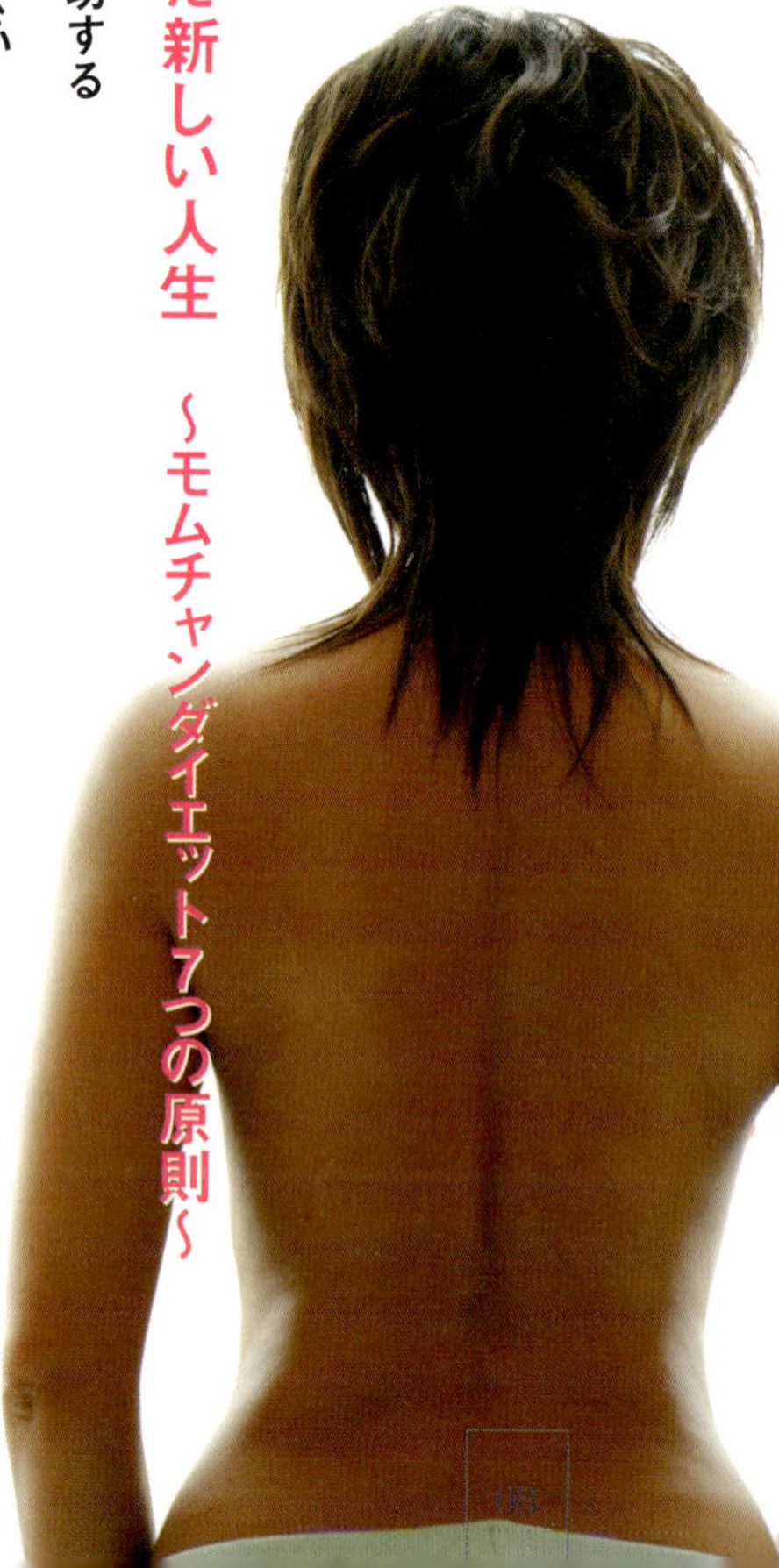

Chapter 1

モムチャンダイエットって何？

「モムチャン」、それは「健康で美しい肉体」という、
チョン・ダヨンのために韓国でつくられた言葉。
2003年10月、インターネットの人気サイトに彼女は自分のダイエット前と後の写真を公開した。
自分の生み出したエクササイズで、こんなに健康で幸せになったことを
一人でも多くの人に知ってもらいたかったのだ。
本来人前に出るのが苦手でいつも伏し目がちだった。
しかし、自分が太っていたころと同じような気持ちで過ごしている女性が
周りにたくさんいることを知り、思い切って投稿したのだ。
その後の彼女の人生は予想だにしない展開となった。
モムチャンブームは韓国を席巻し、その勢いは今でも衰えを知らない。

すぐできる！

本書ではトレーニングジムに行かなくても、今日からすぐに家でできる方法を掲載しています。

愛されるカラダになる！

ただやせるのではなく、グラマラスな体型になれるのがモムチャンダイエットです。細いだけの女性って魅力的ではないでしょ？

モムチャンダイエットって何?

✱ 誰でもナイスバディに!

エクササイズには正しい姿勢と組み合わせが非常に大切です。本書は、DVDにより正しい姿勢が確認でき、効果的なエクササイズの組み合わせがプログラムされています。

✱ ポジティブ脳に!

エクササイズをして体を動かすとドーパミンやセロトニン、エンドルフィンなどのハッピーホルモンが分泌されやすくなり、ポジティブ&ラッキー&ハッピー脳に!

✱ バストアップ!

胸のエクササイズで、バストアップ! ―垂れた胸は上がり、広がった胸は寄せられます。

✱ うるうるハチミツ肌に!

汗で毒素が排出され、また血行が良くなり、熟睡できるため、肌にはハリとツヤが戻ってきます!

人生を変えるモムチャンダイエット

「モムチャン」とは韓国語で、「健康で美しい肉体」という彼女のために作られた言葉です。「モムチャンダイエット」とは簡単に言えば、美しい体を自分でデザインするダイエットのことです。彼女がプログラムしたエクササイズにより、引き締まった体、適度にボリュームアップした胸やお尻になれ、かつ体重も落とせるというものです。このモムチャンダイエットは、正しく健康的なダイエットとして韓国の教科書に掲載されたほどです。

30歳。私の人生は冬だった

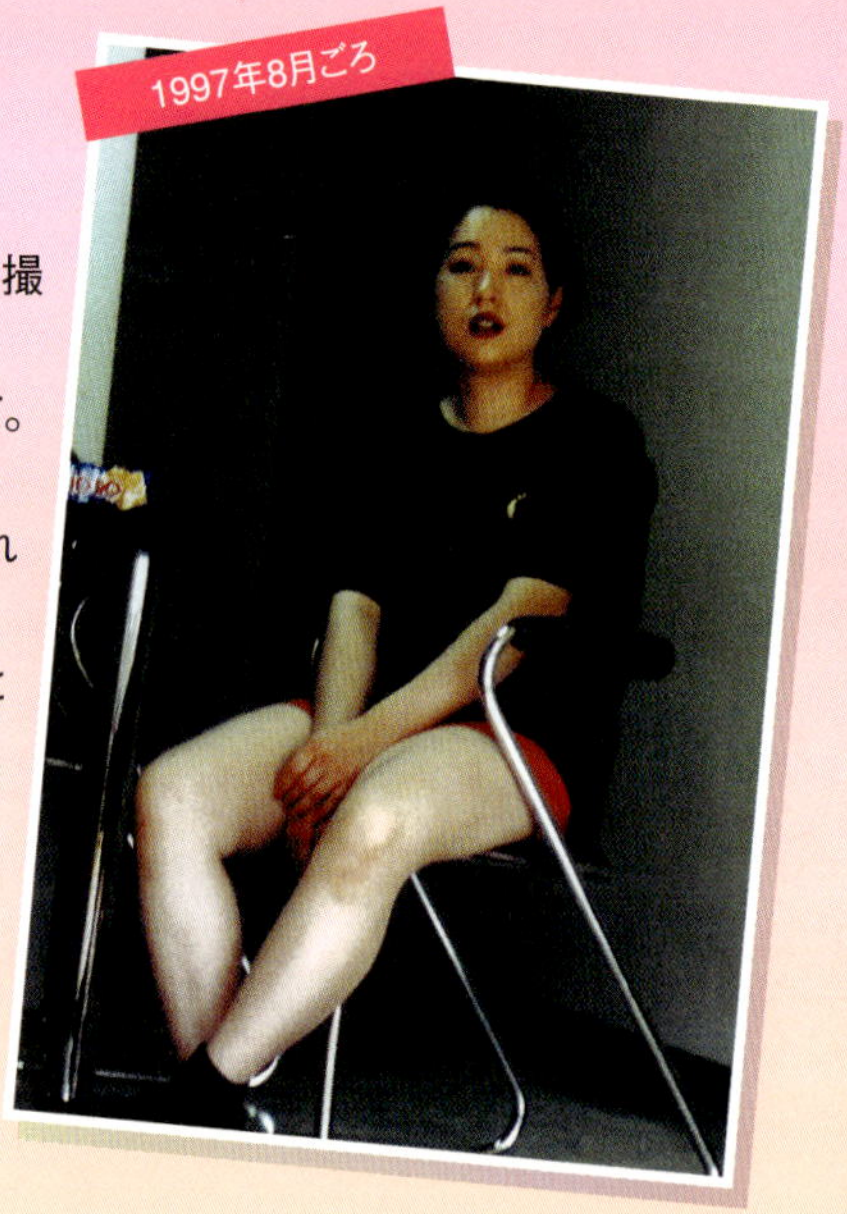

1997年8月ごろ

「この写真はジムで撮ったの?」

よく聞かれるのですが、これは自宅の台所で夫にいきなり撮られたものです。

1997年8月、下の女の子を産んで少ししたころの写真です。

大量のお皿を片付けやっと一息ついて、あまりの疲れでどさっと腰を下ろし、放心状態のときに
「あはは、お前、面白い顔してるな」と言ってパチリとやられたものです。

写真を撮られるのが大嫌いで、カメラを向けられるといつも逃げ回っていました。子供の写真を撮るときに、一緒にいるので仕方なく写る程度でした。

身なりにまったく興味なし!

このころの私は、いつもダブダブのTシャツ、しかも油のとびはねでギトギトのものでも平気で着ていました。

「どうせすぐに汚れるし」。そんな気持ちで、見た目などかまっていられませんでした。

ひざとお尻が伸びきったユルユルのゴムのズボンに、髪も無造作に一つにしばり、前髪は落ちてこないようにカチューシャで上げ、美容院などへも行きませんでした。作る料理も肉団子や揚げ物が定番でした。

40歳。モムチャンダイエット後の私

こんな私が今ではモムチャンダイエットによってここまで変われたのです。30歳の写真のほうが年齢は若いのに、今の私の写真のほうがはるかに若く見られます。20代後半と間違える人もいるほどです。そしてモムチャンダイエットは見た目だけでなく、精神状態をも変えられるのです。今私は明るくはつらつとしていて、どんなに動き回っても疲れ知らずです。30歳の写真のころのように家事で疲れることなどありません。

私は皆さんに伝えたいのです。平凡な主婦だった私がここまで変われたのです。だから誰にでもその可能性があるということを!

モムチャンダイエットでどこまでやせれるか?

2006年1月から11月までの12回にわたり、韓国のSBS放送の『キム・スンヒョン、チョン・ウナのいい朝』という番組の中で2006年特別企画番組として、「超高度肥満脱出」プロジェクトが放映されました。

これは、肥満により生命の危機にさらされるほど健康を損なっている方々を対象としたものです。選ばれた女性はいずれも体重が100キロ以上、体には何らかの不調を抱えていました。

肉体とともにメンタル・生活習慣のケアがダイエットの鍵

私が指導したのは、エクササイズ、フィギュアダンス、有酸素運動、バランスの良い食事です。この基本的なことを徹底して守ってもらうことで、彼女たちをダイエット成功へと導きました。

それに加えて今回はメンタルな部分も指導しました。例えば、自分の脂肪をイラストに描いてもらったり、その脂肪を友人として手紙を書いてもらったりしました。

また生活が不規則な傾向もあり、そのあたりも指導し、ときには突然自宅を訪問し、冷蔵庫チェックなどもしました。

最終的に彼女たちは見事ダイエットに成功し、写真のような成果を収めることができたのです。別人のようになった彼女たち、健康になっただけでなく、容姿にも自信を持ち、性格も前向きに明るくなりました。

モムチャンダイエットは現代人すべてに必要

「私はここまで太っていないから、モムチャンダイエットは必要ないわ」、という方もぜひトライしてください。モムチャンダイエットの最終目標は、あなたを運動体質にすることなのです。現代人にとって、運動することは、衣食住と同じくらい大切なことを身をもって経験してほしいのです。

今回、あなたを運動体質にするための９週間プログラムを開発しました。まずは９週間続けてみてください。絶対後悔はさせません。

Chapter 2
モムチャンダイエット
9週間プログラム

9週間でモムチャン——グラマラスな体のための土台を作る。

土台がなければ、砂の上に家を建てるようなものだ。

私たちがエクササイズをする最終目標は、
美しい肉体を手に入れ、そして健康に人生を送ることだ。

きれいなスタイルとは、一番健康な状態で自然に得られるもう一つの贈り物にすぎない。

エクササイズは魔法ではない。短期間であなたの体が変化することはない。

それでは9週間プログラムとは何か。9週間プログラムをきちんと成し遂げれば、
あなたの体はまさに運動体質に変化するだろう。

9週間後、あなたは一生輝くための最初の駅に到着することになる。

一生輝くための9週間プログラム

Nine weeks program for your bright future

＊あなたを運動体質に変える――9週間プログラム

エクササイズは、食事や睡眠と同じように一生行わなければならない生活の必須要素である。しかし、エクササイズの大切さは分かっていても、実践できている人はそう多くない。その理由は、最初の何週間かを耐えられずあきらめてしまうからだと思う。長い間エクササイズをしなかった人が体を動かし始めると、それに対する反発現象が起きる。例えば、筋肉痛や面倒だと思う気持ちなどだ。

急にエクササイズを始めると体のあちこちが痛くなり、また時間を無駄にしているように感じる。そして、すぐに体が疲れて日常生活に支障をきたすのではないかとも思ってしまう。しかし、エクササイズが習慣化されている人は、エクササイズをしないとむしろ体が疲れてしまう。私の場合がそうだ。

忙しくてエクササイズができないと、朝の目覚めの気分がいつもと違ってくる。元気もなく、すっきりした気持ちも感じられない。一日中体が疲れ、気持ちも焦る。

こんな私を運動中毒だという人もいるが、私は運動中毒になることは決して悪いことではないと思う。運動不足よりは運動中毒のほうがずっと健康な人生を送ることができるはずだから。

私は、多くの人がエクササイズによって幸せになることを願っている。

エクササイズが衣食住と同様に重要であることを分かってほしいのだ。

しかし、ほとんどの人がその重要性に気づいていない。

そういう人が一生運動体質で生きるためには、最初にエクササイズを始める入門段階が最も重要である。なぜならば、多くの人がこの段階であきらめてしまうからである。

私が9週間プログラムを提案するのは、9週間エクササイズをすれば、すべてのことが一気に変わるという意味ではない。体はそんなに早く変わるものではない。しかし、その間に完璧に変わることはある。

それはあなたの意志と体質である。

9週間プログラムをやり遂げれば、エクササイズをすることが習慣となり、まさに運動体質に変われるのだ。そうなれば、あなたは自然に完璧なスタイルと健康を手にすることができるようになる。

9週間プログラムは、私のようなエクササイズ初心者だった人でも、運動体質になれるようプログラムした。私の場合、このプログラムを始めて2ヶ月くらいで体の変化が感じられた。体重の変化というよりは体の状態や感じ、筋肉の変化だった。

またこのプログラムは、今までずっとエクササイズをしてきた人、特にジムで何をすればいいのか分からず、無駄な時間を過ごしていた人にも役に立つと思う。


エクササイズの最終目標は、健康な人生を送ることだ。

きれいなスタイルは、健康な状態で自然に得られるもう一つの贈り物にすぎない。

エクササイズは魔法ではない。短期間にあなたの体が変化したりはしない。

しかし、この9週間プログラムをきちんと行えば、あなたの体と意識は変化し始める。

9週間プログラムは、できる限り一日も休まずに行ってほしい。

しかし、やむを得ず休むことになったとしても自分を責める必要はない。何よりも余裕のある姿勢が大切なのだ。9週間後には、あなたも運動体質に変化していることだろう。

9週間やり遂げたとき、あなたは世の中で何よりも大切なものを得ることができるだろう。

これは、私があなたへ贈る「輝き」へのチケットである。

そうして、9週間後、「一生輝く」ための最初の駅に到着する日、あなたはすべてのことに対してやる気にあふれ、毎日が楽しいと感じる自分を発見するだろう！

First stage

第1期 筋力をつける時期

9週間プログラムは第1期、第2期、そして第3期に分けられる。

そのうち、5週にわたる第1期が最も長く重要だ。エクササイズを継続して行うためには、体がエクササイズを徐々に受け入れられるようにしなければならないからだ。

私もそうだったが、ほとんどの人は、エクササイズとは無縁に生活してきた。仮にエクササイズをしたとしても、正しくない姿勢で時間を無駄にしてきた人もいるかもしれない。

このような人には、当然ながら体力がない。さらに、歳を取るにつれて体力は急速に低下する。第1期は、このように体力が低下した人がエクササイズを始めるのに無理のないように構成した。シンプルで楽そうに思えるかもしれないが、私の場合、第1週のエクササイズが一番簡単だったにもかかわらず、つらかった印象がある。

やってみると分かると思うが、筋肉痛が次々と起こり、あるときは怖くなるほど体に疲労を感じた。しかし、それを乗り越え第1期を終えると、9週間プログラムがほぼ成功したといっても過言ではない。また、特に第1週はエクササイズの回数より正確な姿勢に気をつけよう。初心者へのアドバイスをこの章以外に148〜151頁にも掲載したので、参考にしてほしい。

第1週			ウェイトトレーニング		
Mon	ウォームアップ（有酸素運動） 5 min	ストレッチ 5 min	Ex.①・バスト① 10回×2set	有酸素運動 10 min	ストレッチ 5 min
Tue			Ex.③・肩① 5/10回×2set		
Wed			Ex.⑤・太もも&ヒップ① 5/10回×2set		
Thu			Ex.⑨・背中① 5回×2set		
Fri			Ex.⑪・二の腕① 5/10回×2set		
Sat			Ex.⑬・ウエスト① 7回×2set		
Sun	休息				

※エクササイズについては32～48頁を参照してください
※A/B回→A＝ゆっくり、B＝小刻みなど、1つのエクササイズに2つ以上の動作がある場合の回数を示します

第2週			ウェイトトレーニング		
Mon	ウォームアップ（有酸素運動） 5 min	ストレッチ 5 min	Ex.①・バスト① 15回×2set	有酸素運動 10 min	ストレッチ 5 min
Tue			Ex.③・肩① 7/14回×2set		
Wed			Ex.⑤・太もも&ヒップ① 7/14回×2set		
Thu			Ex.⑨・背中① 10回×2set		
Fri			Ex.⑪・二の腕① 7/14回×2set		
Sat			Ex.⑬・ウエスト① 10回×2set		
Sun	休息				

第3週			ウェイトトレーニング		
Mon	（有酸素運動）ウォームアップ 5min	ストレッチ 5min	Ex.①・バスト① 15回×3set	有酸素運動 15min	ストレッチ 5min
Tue			Ex.③・肩① 7/14回×3set		
Wed			Ex.⑤・太もも&ヒップ① 7/14回×3set		
Thu			Ex.⑨・背中① 10回×3set		
Fri			Ex.⑪・二の腕① 7/14回×3set		
Sat			Ex.⑬・ウエスト① 10回×3set		
Sun	休息				

第4週			ウェイトトレーニング		
Mon	（有酸素運動）ウォームアップ 5min	ストレッチ 5min	Ex.①・バスト① 20回×3set	有酸素運動 15min	ストレッチ 5min
Tue			Ex.③・肩① 10/20回×3set		
Wed			Ex.⑤・太もも&ヒップ① 10/20回×3set Ex.⑥・太もも&ヒップ② 5/10/5回×2set		
Thu			Ex.⑨・背中① 14回×3set		
Fri			Ex.⑪・二の腕① 10/20回×3set		
Sat			Ex.⑬・ウエスト① 10回×3set Ex.⑭・ウエスト② 10回×2set		
Sun	休息				

第5週	ウォームアップ（有酸素運動）	ストレッチ	ウェイトトレーニング	有酸素運動	ストレッチ
Mon	5 min	5 min	Ex.①・バスト① 20回×3set Ex.②・バスト② 5回×2set	20 min	5 min
Tue			Ex.③・肩① 10/20回×3set Ex.④・肩② 10/20回×2set		
Wed			Ex.⑤・太もも&ヒップ① 10/20回×3set Ex.⑥・太もも&ヒップ② 10/20/10回×2set		
Thu			Ex.⑨・背中① 20回×3set Ex.⑩・背中② 14回×2set		
Fri			Ex.⑪・二の腕① 10/20回×3set Ex.⑫・二の腕② 5回×2set		
Sat			Ex.⑬・ウエスト① 10回×3set Ex.⑭・ウエスト② 10回×3set		
Sun	休息				

Advice for nine weeks program beginners

9週間プログラムを始める人へのアドバイス

01. 転倒を防ぐため室内でもシューズを着用しよう

02. エクササイズのセットとセットの間の休憩は必ず45秒以内に! それ以上休むとエクササイズ効果が薄れます

03. 周りの人にモムチャンダイエット9週間プログラムを始めたことを宣言しよう

04. 目標のモデルを身近に置こう

05. エクササイズを一番重要なスケジュールに定着させよう

Aerobic exercise advice

自宅でできる有酸素運動

9週間プログラムに欠かせない有酸素運動。有酸素運度には、水泳、ランニング、早歩き、サイクリング、ダンスなどがある。それぞれ自分の好みに合わせて取り入れてみよう。今回は自宅でできる有酸素運動を紹介する。飛び跳ねたりしないので、マンション住まいの人にもおすすめだ。呼吸は自然に、ただし大きく行う。

01. 両手を開き手のひらは上に向け、腰は左に傾ける

02. 頭の上で両手をあわせ、腰は右に傾ける

03. これらの動作をリズミカルに繰り返す。ひざが曲がらないよう注意

Jung Dayeon pinx.

Second stage

第2期　筋肉を作る時期

第2期は、第6週から第8週までの3週間である。

この時期は、第1期でつけた筋力に基づいて、体に基本の筋肉をつける時期である。

第1期をやり遂げた人は、エクササイズが習慣になりつつあるだろうが、第2期はエクササイズの強度が強くなり、時間も長くなって苦痛に感じることもある。しかし、エクササイズはやりたいときにやればいいというものではなく、必須であることを忘れないでほしい。この時期を乗り越え、しっかり筋肉をつけていこう。

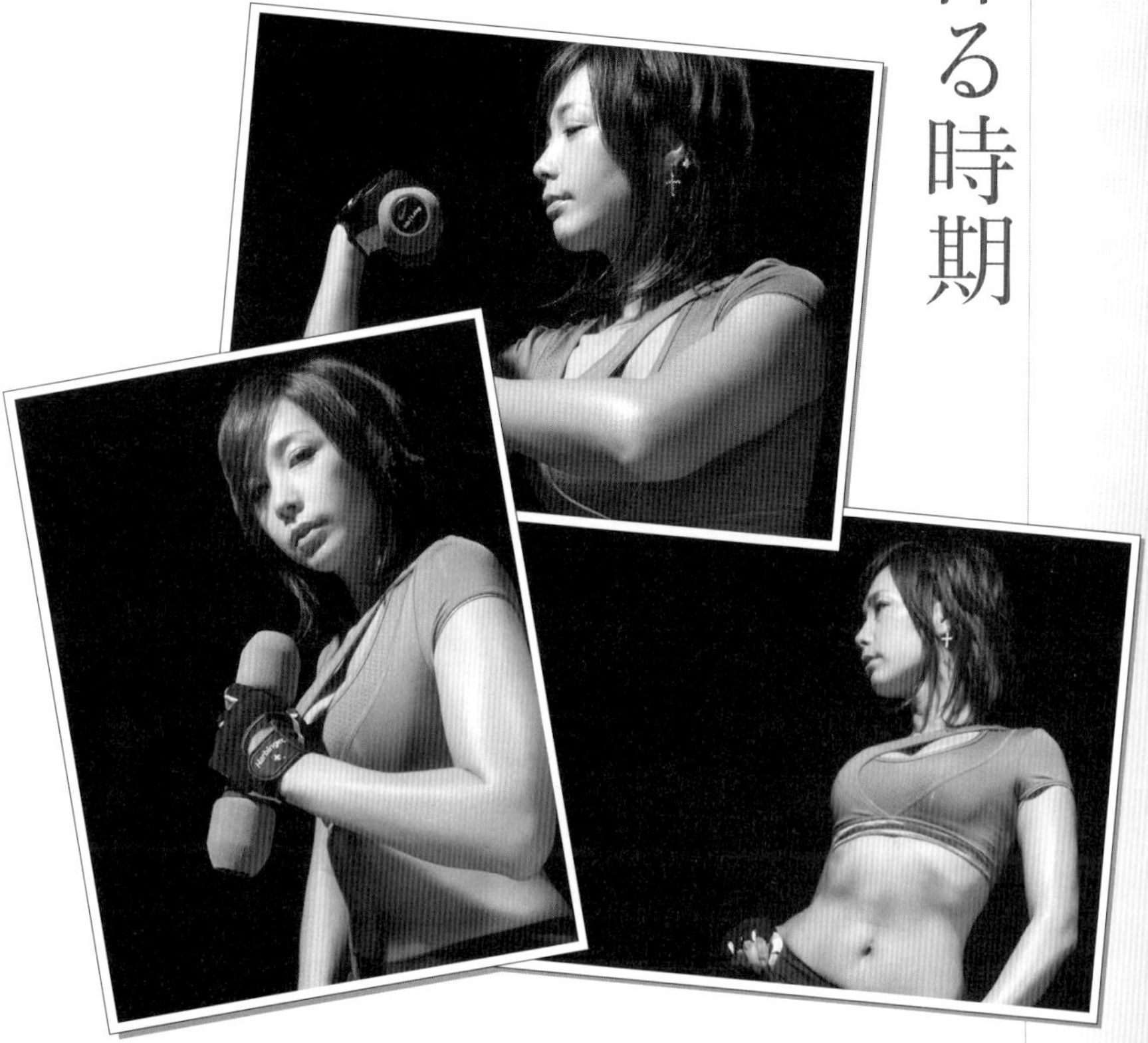

第6週			ウェイトトレーニング		
Mon	ウォームアップ（有酸素運動）5 min	ストレッチ 5 min	Ex.①・バスト① 20回×3set Ex.②・バスト② 7回×2set	有酸素運動 20 min	ストレッチ 5 min
Tue			Ex.③・肩① 10/20回×3set Ex.④・肩② 10/20回×3set		
Wed			Ex.⑤・太もも&ヒップ① 10/20回×3set Ex.⑥・太もも&ヒップ② 10/20/10回×3set		
Thu			Ex.⑨・背中① 20回×3set Ex.⑩・背中② 14回×3set		
Fri			Ex.⑪・二の腕① 10/20回×3set Ex.⑫・二の腕② 7回×2set		
Sat			Ex.⑬・ウエスト① 14回×3set Ex.⑭・ウエスト② 14回×3set		
Sun	休息				

第7週			ウェイトトレーニング		
Mon	ウォームアップ（有酸素運動） 5 min	ストレッチ 5 min	Ex.①・バスト① 20回×3set Ex.②・バスト② 10回×2set	有酸素運動 25 min	ストレッチ 5 min
Tue			Ex.③・肩① 10/20回×4set Ex.④・肩② 10/20回×4set		
Wed			Ex.⑤・太もも&ヒップ① 10/20回×3set Ex.⑥・太もも&ヒップ② 10/20/10回×3set Ex.⑦・太もも&ヒップ③ 10回×2set		
Thu			Ex.⑨・背中① 20回×4set Ex.⑩・背中② 14回×4set		
Fri			Ex.⑪・二の腕① 10/20回×3set Ex.⑫・二の腕② 7回×3set		
Sat			Ex.⑬・ウエスト① 16回×3set Ex.⑭・ウエスト② 16回×3set Ex.⑮・ウエスト③ 50回×1set		
Sun	休息				

第8週	ウォームアップ（有酸素運動）	ストレッチ	ウェイトトレーニング	有酸素運動	ストレッチ
Mon	5 min	5 min	Ex.①・バスト① 20回×4set Ex.②・バスト② 12回×2set	25 min	5 min
Tue			Ex.③・肩① 10/20回×5set Ex.④・肩② 10/20回×5set		
Wed			Ex.⑤・太もも&ヒップ① 10/20回×4set Ex.⑥・太もも&ヒップ② 10/20/10回×3set Ex.⑦・太もも&ヒップ③ 10回×3set Ex.⑧・太もも&ヒップ④ 10回×2set		
Thu			Ex.⑨・背中① 20回×4set Ex.⑩・背中② 20回×4set		
Fri			Ex.⑪・二の腕① 10/20回×4set Ex.⑫・二の腕② 10回×3set		
Sat			Ex.⑬・ウエスト① 20回×3set Ex.⑭・ウエスト② 20回×3set Ex.⑮・ウエスト③ 100回×1set		
Sun	休息				

Third stage

第3期
体をデザインする時期

第2期まで、計8週間のエクササイズをやり遂げた人なら、第3期のエクササイズはそう難しくはないだろう。

そして、なぜ第3期が一番短いのかも分かるだろう。

第9週は第1〜第8週と違い、ハードなエクササイズを先に行うようになっている。

第3期は第9週のみだが、この第9週のエクササイズこそ、これからずっと続けてもらいたいエクササイズなのだ。

これは、私が普段行っているエクササイズとほぼ同じである。エクササイズをしていなかった体が運動体質に変わり、エクササイズをするのに必要な基礎筋肉も作られ、一生エクササイズできる最高のコンディションを備えたといえる。

おそらくここまでプログラムを実行してきた人は、すでに変化した体を経験しているだろうし、さらに今後もっと変化をし、モムチャンになっていくだろう。

体がよりいっそう健康に、そして美しくなっていくのを楽しんでもらいたい。

第9週			ウェイトトレーニング		
Mon	ウォームアップ（有酸素運動） 5 min	ストレッチ 5 min	Ex.②・バスト② 12回×3set Ex.①・バスト① 20回×5set	有酸素運動 30 min	ストレッチ 5 min
Tue			Ex.④・肩② 10/20回×5set Ex.③・肩① 10/20回×5set		
Wed			Ex.⑧・太もも&ヒップ④ 20回×3set Ex.⑦・太もも&ヒップ③ 20回×3set Ex.⑥・太もも&ヒップ② 10/20/10回×3set Ex.⑤・太もも&ヒップ① 10/20回×5set		
Thu			Ex.⑩・背中② 20回×5set Ex.⑨・背中① 20回×5set		
Fri			Ex.⑫・二の腕② 12回×3set Ex.⑪・二の腕① 10/20回×5set		
Sat			Ex.⑭・ウエスト② 20回＋Ex.⑬・ウエスト① 20回×3set Ex.⑮・ウエスト③ 150回×1set		
Sun	休息				

Advice for your bright future

一生輝いていくためのアドバイス

01. 水をたくさん飲もう

水は脂肪を取り除き、筋肉を作るのになくてはならないとても重要な成分である。

エクササイズの前に500ミリリットルの水を飲むようにし、エクササイズ中も小まめに水分をとろう。

私の場合、一日平均2リットルの水を飲んでいる。

02. バランスの取れたエクササイズをしよう

有酸素運動とウェイトトレーニングをバランスよく行うようにしよう。

自分の気に入らない特定の部位だけをエクササイズするのは効果がない。全身をトレーニングしてこそ体脂肪が減る。

エクササイズで体脂肪を取り除き、体に筋肉をつけよう。

03. エクササイズに関する知識を積極的に集めよう

インターネットなどの健康およびエクササイズ関連のコミュニティに参加して意見交換してみよう。専門家の意見を取り入れるのも有効だ。

04. 確信を持とう

エクササイズは絶対に嘘をつかない。エクササイズしても効果があらわれないなら、それは正しいエクササイズができていなかったのだと断言できる。

エクササイズのやり方を正しく理解し、エクササイズを生活の一部にまですれば、必ず健康で美しい体の持ち主になれるのだ。

Chapter 3

ストレッチ&エクササイズ

モムチャンダイエット9週間プログラムのためのストレッチ&エクササイズ。
エクササイズの回数はプログラムによって違うので注意しよう。
DVDもチェックして正しい姿勢を身につけよう。
エクササイズは正しい姿勢で行わないと効果が半減するので注意。
また、室内でも転倒防止のためシューズなどを着用することをおすすめする。
今まで体を動かしていなかった人は第1期の第1週が一番きついかもしれない。
今まで眠っていた筋肉が悲鳴を上げることだろう。
けれども、鍛えた部位が筋肉痛になるということは、
正しい姿勢でエクササイズができているということ。
筋肉痛を歓迎し、自信を持って続けよう!

エクササイズについて

●無理な姿勢と感じたら、最初は自分のできる範囲で行うようにしてください。
●途中で体調が悪くなった場合は速やかにエクササイズを中止してください。

Stretch ※呼吸は自然に行う

① 手をついて、うつぶせになる

② 腕をぐっと伸ばし、上体をそらし、その姿勢を8～20秒保つ

③ ひざを曲げ、腕を前方に伸ばして上体を伸ばす。この姿勢を8～20秒保つ

④ 背中を丸め、アーチを描くような姿勢になる。顔は腕と腕の間に入れ、この姿勢を8～20秒保つ

⑤ あごを上げ、背中をそらす。狼の遠ぼえのようなポーズをイメージする。この姿勢を8～20秒保つ

⑥ 右足を内側に折り込み、左足はまっすぐに後方に伸ばし、上体をゆっくりそらす。顔は上に向け、この姿勢を8～20秒保つ

⑦ 足を内側に折り込んだまま、上体を伏せ、この姿勢を8～20秒保つ。顔は床につかないよう自然に下げる

⑧ 反対側も同様に行う

⑨ 両足を左右に開いて左に上体を傾ける
手が曲がらないようまっすぐにし、この姿勢を8～20秒保つ

⑩ 反対側も同様に行う

11 足の裏と裏を合わせて座り、ひじをひざに押しつけながら上体をゆっくり前に曲げる。この姿勢を8～20秒保つ

12 足を肩幅より広めに開いて立ち、しこを踏む。両足が直角になるまで腰を下ろし、ひざの内側に手を添える。このとき背中が丸まらないように注意

13 ひざの内側を押すような感じで右側に上体をひねる。このとき背中が丸まらないよう注意。また、左肩が内側に入りすぎないよう注意し、この姿勢を8～20秒保つ

14 反対側も同様に行う

15 両手をまっすぐ上に伸ばす

16 右ひじを曲げ、左手で右ひじをぐっと内側に押し込み、この姿勢を8～20秒保つ
このとき顔が下に向かないよう気をつける

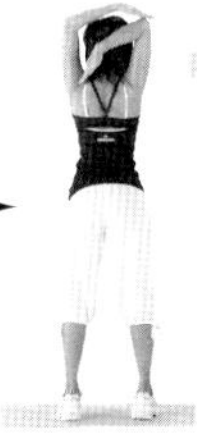

17 反対側も同様に行う

18 両足をそろえてまっすぐ立ち、手のひらを正面に向け右手を前に突き出す。指は下に向ける。腕は肩の高さまで上げる

19 左手で右手の先をつかみ、体の内側へ向けてゆっくり引っ張る。この姿勢で8～20秒保つ

20 反対側も同様に行う

Exercise 1 ——バスト①

弾力のあるきれいな胸に整えます。バストアップ、つまり垂れた胸を上げたり、広がった胸を寄せる効果があります

Check!

エクササイズの際、胸の上部に刺激を感じれば正しいエクササイズができているということです

① こぶしを作り、親指は前に突き出す。両手は気をつけの姿勢で、視線は正面をしっかりと見つめてまっすぐ立つ
足はまっすぐそろえ、ひざに力を入れないように

② 胸の上部にぐっと力を入れ、息を吐きながらゆっくり力を込めて腕をひねりながら、前方に上げる
胸の筋肉の力で腕を上げていくイメージで、上げきったときのこぶしは上を向き、顔の前でVの字になっている

③ 胸の上部に力を入れ、息を吸いながらゆっくり下ろす
下ろしきったときは最初の姿勢を保つ。視線は正面を向き、背筋は伸ばし、ひざに力を入れない

✣この動作を繰り返す。回数はプログラムに従い、次のセットに移る前、45秒以内の休憩をとる

Exercise 2 ——バスト②

弾力のあるきれいな胸に整えます。バストアップ、つまり垂れた胸を上げたり、広がった胸を寄せる効果があります。ハードなエクササイズのため、最初は下ろせるところで動作を止めてもかまいません

Check!

エクササイズの際、胸全体に刺激を感じれば正しいエクササイズができているということです

① 腕は肩幅より若干広めに開き、手先は正面に向けて床に手をつく。足はひざをついて直角に曲げる。腰はまっすぐに伸ばし、首は脊椎《せきつい》と一直線になるように

② 胸に意識を集中してそこに力を感じ、息を吸い込みながら、顔が床につきそうなところまで上半身を下ろす

③ 息を吐き出しながら、床を押すような感じで上半身を押し上げ、元の姿勢に戻す。胸の力で押し上げるのがポイント

✣ **この動作を繰り返す。回数はプログラムに従い、次のセットに移る前、45秒以内の休憩をとる**

Exercise ③ ——肩①

肩の前面のラインを整えるエクササイズです。姿勢が良くなり、またノースリーブなどをきれいに着こなせるようになります

Check!

エクササイズの際、肩に刺激を感じれば正しい姿勢でエクササイズができているということです

① こぶしを作って親指を立て、肩に力を感じながら少しひじを曲げ、こぶしを正面にして構える。親指は内側になる。足は肩幅に開く
視線は正面を見つめ胸を張り、背中と腰はまっすぐ自然に伸ばす。ひざに力を入れないようにする

POINT!
親指は下向きのまま、腕を肩の高さまで上げる

② 親指を下に向けたまま、肩に力を感じ、息を吐きながらゆっくり前面に腕を上げていく
腕と肩が水平になるまで上げる。このとき親指は下を向いている
息を吸いながらゆっくり元の姿勢に戻り、この動作を繰り返す

③ 上げた腕を小刻みに上下に動かし、この動作を繰り返す

✣ゆっくり動かすエクササイズと小刻みに動かすエクササイズ、これで1組とする。回数はプログラムに従い、次のセットに移る前、45秒以内の休憩をとる

Exercise 4 ——肩②

**肩の側面のラインを整えるエクササイズです。
姿勢が良くなり、またノースリーブなどを
きれいに着こなせるようになります**

Check!

エクササイズの際、肩に刺激を感じれば正しい姿勢でエクササイズができているということです

① こぶしを作って親指を立て、肩に力を感じながら少しひじを曲げ、こぶしを正面にして構える。親指は内側になる。足は肩幅に開く
視線は正面を見つめ胸を張り、背中と腰はまっすぐ自然に伸ばす。ひざに力を入れないようにする

② 息を吐きながら、ゆっくり腕を左右に上げる。その際肩に力を感じ、ひじから持ち上がるような感覚で上げる
腕が肩と水平になるまでゆっくり上げる
腕は伸ばしきらず、ひじのところで少し曲げ、親指は下を向いている
息を吸いながらゆっくり最初の姿勢に戻し、この動作を繰り返す

③ 上げた腕を小刻みに上下に動かし、この動作を繰り返す

✢ゆっくり動かすエクササイズと小刻みに動かすエクササイズ、これで1組とする。回数はプログラムに従い、次のセットに移る前、45秒以内の休憩をとる

Exercise 5 ——太もも&ヒップ①

**太ももの後ろ側が鍛えられ、ヒップアップするエクササイズです。
最高地点で太ももとお尻をきゅっと引き締めることで効果があらわれます**

Check!

エクササイズの際、お尻と太ももの後ろ側に刺激を感じれば正しい姿勢でエクササイズができているということです

① あお向けになりひざを立てて力を抜く。視線は天井をまっすぐ見つめる
腕は自然な状態で骨盤の横に置く

② 口から息を吐きながら骨盤をゆっくり上げる
骨盤がこれ以上上がらない地点で動作を止め、お尻と太ももの後部の筋肉を意図的に引き締める

③ 息を吸いながら、ゆっくり最初の姿勢に戻す。このときお尻が床につくかつかないかのところで止める。この動作を連続して行う

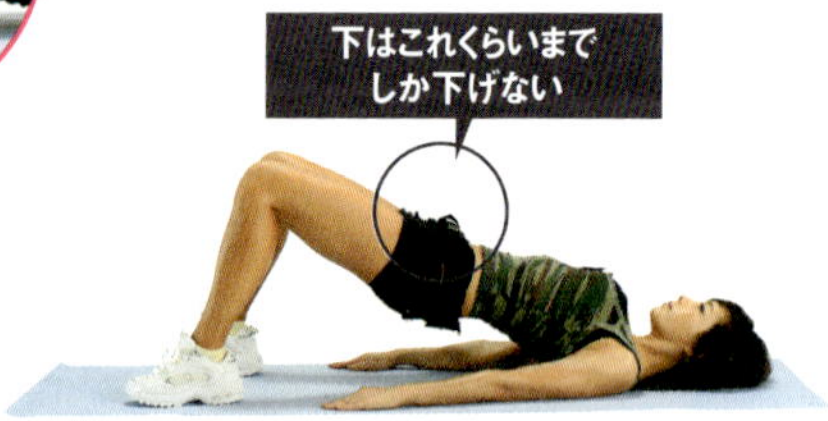

④ 最高地点まで骨盤が上がった状態で小刻みに上下に動かす

✣ **ゆっくり動かすエクササイズと小刻みに動かすエクササイズ、これで1組とする。回数はプログラムに従い、次のセットに移る前、45秒以内の休憩をとる**

Exercise 6 ——太もも&ヒップ②

特に太ももの後ろ側とヒップアップに効果があり、きれいなお尻を形作ります

Check!
エクササイズの際、お尻と太ももの後ろ側に刺激を感じれば正しい姿勢でエクササイズができているということです

① うつぶせになり、両ひじをつき、手は前方にそろえる。左足は後方にまっすぐ伸ばし、右ひざは直角に床につく。首筋・腰・足は一直線になるように

② 息を吐きながら、お尻にぎゅっと力を入れ最大限まで力強く左足を上げ、ひざが曲がらないよう注意する。太ももの後ろ側とヒップにぐっと刺激を感じるようにする

③ 息を吸いながら、床につかないところまで足を下ろす。この動作を繰り返す

④ 足を最大限まで上げ、小刻みに上下に動かす

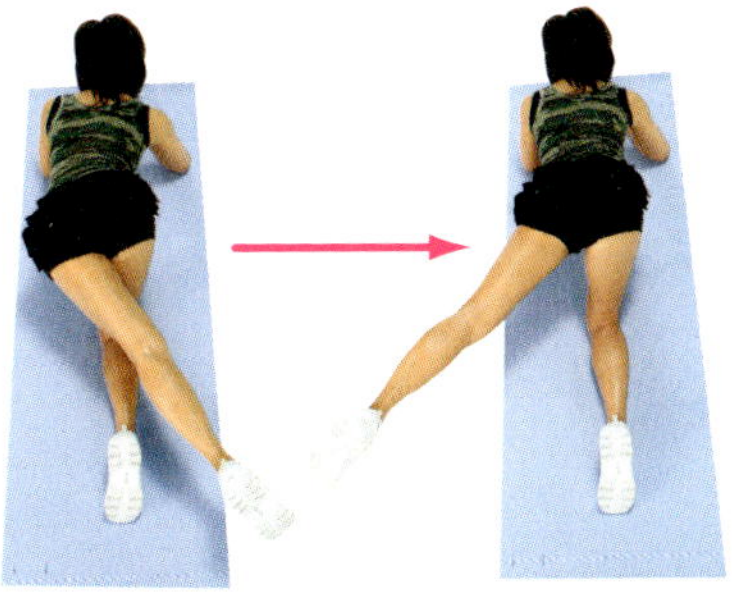

⑤ ゆっくり足を左右に交差させる

✣同様の動作を反対側でも行い1組とする。回数はプログラムに従い、次のセットに移る前、45秒以内の休憩をとる

Exercise 7 ——太もも&ヒップ③

女性の下半身のエクササイズとして、最高といわれているものです

Check!

エクササイズの際、太もも全体やお尻に刺激を感じれば正しい姿勢でエクササイズができているということです

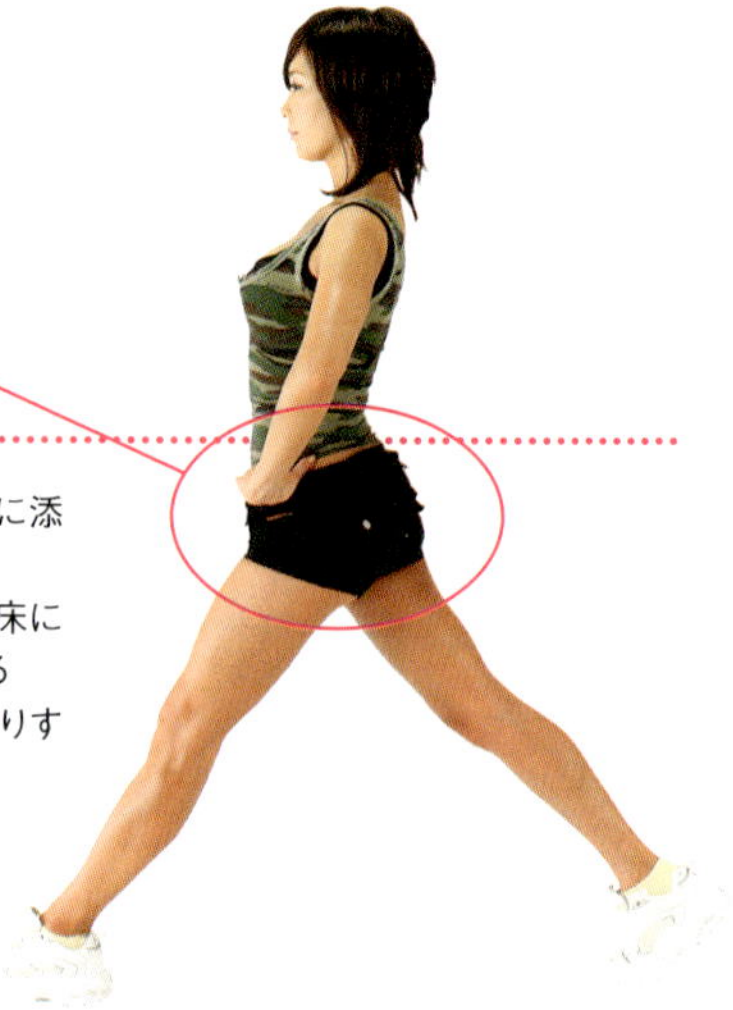

① 足を前後に開き、両手は腰に添える
前に出した左足のかかとは床につけ、右足はかかとを上げる
左右一方の足に体重がかかりすぎないよう注意

② 息を吸いながら、ゆっくり腰を下ろす
前かがみにならないよう注意し、左足が直角になるまで下ろす

③ 息を吐きながらゆっくり元の姿勢に戻し、同じ動作を繰り返す

✣ 反対側の動作も同様に行い、これで1組とする。回数はプログラムに従い、次のセットに移る前、45秒以内の休憩をとる

Exercise 8 ——太もも&ヒップ④

太ももの内側のぜい肉を減らし、ヒップアップ効果があります。また、足のラインを整え、すらっとさせ、体のバランス感覚を養う効果もあります

Check!

エクササイズの際、太ももの内側とお尻に刺激を感じれば正しい姿勢でエクササイズができているということです

① 大の字になってまっすぐ立ち、左足のかかとを少し上げる。視線は正面を見据える

② 息を吸いながらひざが直角になるまで腰を下ろす。慣れていない人は下ろせるところで止める。姿勢はまっすぐ保ち、前かがみにならないよう、また後ろにそらないよう注意

③ 元の姿勢に戻り、息を吸いながら体を右側にねじり、腰を落とす。両腕は体の前で曲げる。足は直角に
息を吐きながら①に戻り、③までリズミカルに繰り返す

✣ **反対側の動作も同様に行い、これで1組とする。回数はプログラムに従い、次のセットに移る前、45秒以内の休憩をとる**

Exercise 9 ——背中①

背筋を鍛え、腰痛の予防効果もあります。
また、このエクササイズは太ももの後部とお尻にも多くの刺激を与えます。
左右の体のゆがみを矯正する効果もあります

Check!

エクササイズの際、背中、お尻、太ももに刺激を感じれば正しい姿勢でエクササイズができているということです

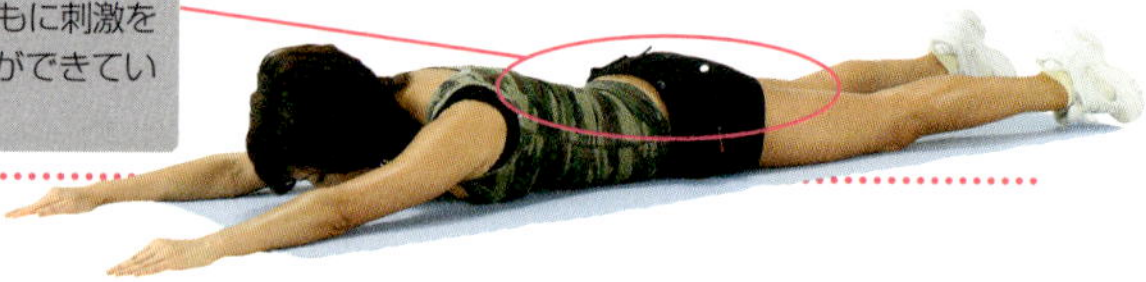

① うつぶせになった状態で、足と腕を肩幅に開き、最大限伸ばす。首は脊椎と一直線になるように

② 息を吐きながら右腕と左足を交互に上げる。頭は腕の動作に合わせて自然に上がってもかまわない
腕と足がこれ以上上がらない最高地点に達したら、その姿勢をしばらく維持

③ 息を吸いながらゆっくり元の姿勢に戻す。このときどさっと足が床につかないよう注意する。つま先が床についたら反対側の足と腕を上げる

✣ **左右合わせて繰り返し、1組とする。回数はプログラムに従い、次のセットに移る前、45秒以内の休憩をとる**

Exercise 10 ——背中②

背筋を鍛えるエクササイズです。足全体の筋肉を鍛え、有酸素運動の効果もあります。手をたたくことで、血液のめぐりも良くなります

Check!
エクササイズの際、背中に刺激を感じれば正しい姿勢でエクササイズができているということです

POINT!
背中が丸まったり、そりすぎたりしないように

① 両手と両ひざをそろえ、前かがみの姿勢になる
視線は正面を見つめ、首筋と背筋がまっすぐなるように

② 息を吐きながら右側に足を開き、両手も開く。腕を開くとき、背中に緊張を感じるように姿勢が崩れないよう注意

③ 息を吸いながら元の姿勢に戻し手をたたき、左側も同様の動作を行い、左右リズミカルに繰り返す

✣左右合わせて1組とする。回数はプログラムに従い、次のセットに移る前、45秒以内の休憩をとる

Exercise 11 ——二の腕①

腕に筋力をつけてぜい肉をなくす効果があります。今年の夏、ノースリーブをきれいに着こなしたい人におすすめのエクササイズです

Check!

エクササイズの際、二の腕に刺激を感じれば正しい姿勢でエクササイズができているということです

① 足を前後に開き、右足を曲げ、左足を伸ばし、右足に右手をそえて前かがみの姿勢になる。筋力のない人は、右手を壁などについてもかまわない
視線は正面を見つめ、左腕は直角に曲げる。左手はこぶしを作り親指だけ突き出す

② 息を吐き、ゆっくり腕をひねりながら、後方に腕を伸ばす
二の腕に刺激を感じながら伸ばし、腕を伸ばしきったとき、こぶしの内側は上を向いているように

③ 息を吸いながらゆっくり元の姿勢に戻し、これを繰り返す

POINT!
腕と床はほぼ平行に、
ひじは伸ばしきる

④ 腕を後ろに伸ばしきった状態で、小刻みに上下に動かす
反対側の動作も同様に行う

✣ゆっくり動かすエクササイズと小刻みに動かすエクササイズを左右で行い、これで１組とする。回数はプログラムに従い、次のセットに移る前、休憩は挟まない

Exercise 12 ——二の腕②

いすやベンチさえあればどこでも簡単にできるエクササイズですが、肩に負担がかかるため気をつけてください。二の腕のラインを整え、また肩と背中のシェイプアップ効果もあります

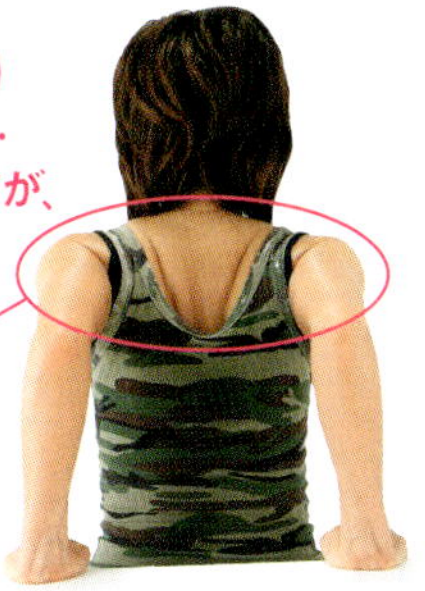

Check!
エクササイズの際、二の腕と背中から肩にかけて刺激を感じれば正しい姿勢でエクササイズができているということです

① ベンチやいす（動かないよう注意する）に手をつき、足はそろえて直角に曲げ少し前に出す。視線は正面を見つめ、頭は終始下げすぎないように肩と腕で体を支え、胸と腰はまっすぐに伸ばす

POINT!
ひじが開かないように

② 肩と腕の力だけで体を支え、息を吸いながらひじが直角になるまでゆっくり体を下ろす。このときひじが開かないよう気をつける。視線は常に正面を見つめ、上半身が一直線になるように腰はまっすぐ伸ばす

③ 息を吐きながらゆっくり体を上げて①の姿勢に戻る。このとき反動を利用しないように気をつける

✣この動作を繰り返す。回数はプログラムに従い、次のセットに移る前、45秒以内の休憩をとる

Exercise 13 ——ウエスト①

**上腹部を鍛えるのにとても効果があります。
また、同時に首も鍛えられます**

Check!

エクササイズの際、上腹部と首に刺激を感じれば正しい姿勢でエクササイズができているということです

① あお向けになった状態で両ひざを直角に立て、手は胸の上で組む。後頭部に手を添えて、頭を支えないように視線は天井を見つめ、あごは引かない

② 口で息を吐きながら、上腹部の力だけで上半身を上げる。上半身がこれ以上上がらない地点まで上半身を起こす
首が前に引っ張られないよう、足の裏も上がらないよう注意

③ 息を吸いながらゆっくりと最初の姿勢に戻す。このとき、上腹部の緊張を解かないよう、また頭は床につかないようぎりぎりのところで止める

④ 動作を止めず、すぐにゆっくりと上体を起こす。終始動作はゆっくり、上腹部の緊張は解かないよう気をつける。上体を上げ下げする際、反動を利用しないようにする

✣この動作を繰り返す。回数はプログラムに従い、次のセットに移る前、45秒以内の休憩をとる

Exercise 14 ——ウエスト②

下腹部を鍛えるのにとても効果があります

Check!

エクササイズの際、下腹部に刺激を感じれば正しい姿勢でエクササイズができているということです

① あお向けになった状態で両足をまっすぐ天井に向けて伸ばす。足の先はまっすぐそろえて上に向け、足の指先に力を入れる。手は尾てい骨の横に置く
腰が痛い人はひざを直角に曲げ、手は尾てい骨の下に置いてもかまわない
視線は天井をまっすぐに見つめて、首は下に向けないように

② 息を吸いながら、ゆっくり足を下ろす
足を下ろす際、背中がそりかえらないよう、床面にしっかりと背をつけるよう注意

③ 最後まで足を下ろしきらないようにしてしばらくその姿勢を保ち、息を吐きながら自然なスピードで①の姿勢に戻す。そこで動作を止めず、すぐに②の動作へ

✣この動作を繰り返す。回数はプログラムに従い、次のセットに移る前、45秒以内の休憩をとる

Exercise 15 ——ウエスト③

**わき腹のラインを整えるのに効果があります。
このエクササイズによって、理想的なくびれが期待できます**

Check!

エクササイズの際、わき腹にねじれるような刺激を感じれば正しい姿勢でエクササイズができているということです

① タオルや長い棒などの両端をつかんで頭の後ろ側に持っていく。タオルの場合は軽く後頭部につけ、長い棒の場合は軽く首につくようにする
腕はL字型になるようにして、ひじと肩は水平になるように
背筋はピンと伸ばし、足は肩幅くらいに開く

② 視線は正面を見つめたまま、息を吐きながら顔と両足を動かさないよう体をひねる
ひねっているときは、運動部位のわき腹に緊張を感じるようにする

③ 最初は左右ゆっくり動かし、慣れてきたらリズミカルな動作でひねる
視線は常に正面、腕を内側に曲げないよう常に水平を保つようにする

左右合わせてリズミカルに繰り返し、回数はプログラムに従う

Chapter 4

輝きよ再び！私が私になるまで

～私の冬の物語～

誰でも人生の「輝き」を取り戻すことができる。

なぜなら、平凡な主婦だった私が成し遂げることができたのだから。

もし、今の私の姿を見て、信じられないという人がいるとしたら、
恥ずかしいけれど私の「冬の話」をお話ししよう。

そうすることで、多くの人を勇気づけられるのなら。

そうすることで、私のように輝いた気持ちで生きていく方法を教えることができるのなら。

1 輝きは再びよみがえる

39歳。人生を四季に例えると、すでに秋に入ったといえる年齢だと思う。

けれども、私が秋に入ったと感じたのはそれよりずっと前だった。かなり太り、体のあちこちが痛く、すべてが面倒くさいと感じていたころ、今より年齢は若かったがくすんだ秋、あるいは冬といっても過言ではなかった。

しかし、今私が感じている季節は青々とした春だ。

私がエクササイズを通じて得たもの、39歳にして再び経験した春は実に魅力的だ。

私はこの喜びを多くの人々と分かち合いたいと思った。

また、一生懸命自分の人生を生きようとする平凡な主婦を、固定観念に閉じ込め、低い評価しかしない人々に対して、新しい年齢の重ね方を提案したいとも思った。

そうしてついに、私はよく見ていたインターネット新聞に、自分が経験して得たものを多くの人に知ってもらいたいと思いメールを送った。今考えてみると少し単純だったが、そのときは私も真剣だったので、必ず自分の話が採用されると信じていた。

後で聞いた話だが、インターネット新聞では、写真と動画を送るようにと言えば、すぐあきらめるだろう、そこまでやる人はいないだろうと思ったそうだ。しかし、私は粗末な動画を作り、写真を撮って新聞社に送った。

その後しばらくすると、「モムチャン」（健康で美しい肉体）という言葉が造られ、私の写真がインターネットに載り始めた。

その後の展開はまったく想像すらしていないことだった。

平凡な主婦だった私が新聞や雑誌のインタビューを受けて、テレビにも出演するようになったのだから……。

しかし、私が一番大切に考えていることはエクササイズの伝道師になることだ。エクササイズは健康な肉体をもたらし、また健康な肉体は美しいというメッセージを伝える伝道師である。

もし、今の私の姿を見て、信じられないと言う人がいるとしたら、恥ずかしいけれど私の「冬の話」を話してもいいと思う。そうすることで、多くの人を勇気づけられるなら。そうすることで、私のように輝いた気持ちで生きていく方法を教えることができるのなら。

※年齢は原著のまま、韓国の数え年で掲載しています。

＊人生を逆転させた一通のメール

こんにちは。

私はもうすぐ39歳、二児の母です。

名前は自分の文章とは関係ないので明かさなくてもいいですよね。私はエクササイズに出会い人生が変わった二児の母、そして一人の夫の妻である平凡な専業主婦です。

メールを送った理由は、私がこの5年間試行錯誤を繰り返しながら続けてきたエクササイズがとうとう目標に到達し、この喜びを人々と分かち合いたいと思ったからです。

私は、34年間運動とは無縁の女でした。

高校時代の体育の成績はいつもビリでした。

こんな私がジム通いを始めてもう5年になり、最近は週3回家の近くにある小学校の運動場を25周走っているのです。

このような体力と満足できるスタイルを手に入れるまでには、数多くの試行錯誤を繰り返してきました。人生の輝きを取り戻すために、手術を除いてありとあらゆる方法を試してきました。

今私の家には体重計がありません。たまにジムで体重を量ってみてもそんなに軽くありません。

スタイルとは、体重計の数値でなく、バランスの取れたスタイルをしているかどうか、視覚で判断されるものなのです。

私が5年間エクササイズをして分かったことについて書かせていただきたいと思います。

可能な限り役立つことは全部お教えしたいと思います。

あまりに多くの人が正しく効果的な運動法を知らず、偏見と誤解、そして間違った常識の中で要領がつかめず迷っているようです。

もちろん私もそのような過程の中で大変迷ったこともあります。

あえてはっきり言わせていただきます。自分の体を望むままにデザインし、その結果が得られる方法はエクササイズが唯一だと。

きれいな体つきを望む多くの女性たち、そしてボディービルダーのようにただムキムキとした体つきではなく、格好よくがっちりした体つきを望む男性たちにも役立つと確信いたします。


——2003年10月　イルサンに住む平凡な主婦より

＊インターネット検索語ランキング1位「モムチャン」

2003年12月、さまざまなインターネットサイトの検索語ランキング1位は「モムチャン」だった。私はしばらく呆然《ぼうぜん》とした。「モムチャン」、それはまさに私のことを指しているものだった。

イルサンのとあるマンションで、子供たちに朝ごはんを食べさせて、コンピューターの前に座っている39歳の平凡な主婦、つまり私が韓国中の注目を浴びているということだ。

数々の検索語、それらすべてを振り切って1位を占めている「モムチャン」という単語……。

——ああ、これは大変だ。

新聞社や出版社からの問い合わせがあり、テレビ番組の製作者たちが私のところに訪ねてくるようになり始めた。

私がコラムを連載し始めたタンジ日報の事務局も、私に関する問い合わせに追われ、タンジ日報のサイトに載せていた写真を削ってほしいと頼んだが、それもすでに手遅れだった。

マスコミからのインタビュー、健康器具のモデル、ひいては芸能界デビューまで提案された。

しかし、私はそんなことに興味もそして自信もなく、自分で始めたことがこのような反響を及ぼすとは思いもしなかった。


そして、たくさんの噂話が飛び交った。

私の前職がファッションモデルだったとか、最初からスリムな人だったとか、写真は捏造《ねつぞう》だ、などという話はまだ笑って聞き流すことができた。昔、水商売をしていた、あるいは同性愛者だと言う人もいた。私の体と顔は、脂肪吸入手術の結果だとまで言われた。

平凡な主婦にすぎない私にとって、これらすべての噂は受け入れがたく、腹が立ち、悔しいものだった。何よりも悲しかったのは、私が計画された商品だという噂話と、夫や家族に対するとんでもない噂話だった。ある新聞などは、私がヌード撮影の依頼を受けたとまで報道した。

芸能人でも運動選手でもない、平凡な主婦がこんなスタイルを維持していることを人々は信じられないのだ。完璧な体とは、特別な人が特別な管理をしなければ維持できるわけがない、と考えているのだ。

しかし、規則的にエクササイズをして適切な食習慣を維持すれば、誰でも私のようになれると確信していたので、私は自分の経験を皆に伝えたかった。

「あなた、私、タンジ日報に載せる写真を探したいの。手伝ってもらえる？」

私は、洋服だんすの上のアルバムを取り出しながら言った。夫の目が大きくなった。

「ほんとに、その太っていたころの写真を載せるつもりなの？」

夫は、消極的で傷つきやすい私が昔の写真をネットに掲載する、と言ったことにショックを受けたようだった。

「私のコラムの題名は『皆さんに輝きを取り戻してあげる！』じゃない。やるならちゃんとやらなくちゃ。〝私は本当に平凡な主婦だった、信じてよ。〟こうやって百回言うより、写真一枚のほうが効果があると思うの」

＊皆に輝きを取り戻してあげたい

「写真を撮ってほしいんですけど」

インターネット上に掲載したことで大反響を呼んだ、ダイエット後の私の写真はとても恥ずかしい思いをして撮ったものだった。

「証明写真ですか、パスポート用写真ですか」

写真屋のおじさんはボールペンをカチャカチャさせながら聞いた。私は頭を横に振った。

「いいえ……。なんて言えばいいのかな。全身写真、芸能人のプロフィール写真みたいな……」

恥ずかしかった。この歳で芸能人になりたいのか、と思われるかもしれない。

おじさんも、少し驚いた表情で私を見た。

「芸能人のプロフィール写真ですか……。とりあえずあちらに行きましょう」

スタジオに入ると私はかばんの中からダンベルを取り出し、ジャケットを脱いでポーズを取った。おじさんの目が大きくなった。

水色のタンクトップに真紅のショートパンツ、しかもダンベルまで。

私は恥ずかしい気持ちを捨てて、堂々とした表情でカメラを凝視した。私の写真を見て、より多くの人がエクササイズを始めようという気になるなら、という思いだった。

「まったくね……。エクササイズを一生懸命やりましょうという気持ちを込めて、恥ずかしい思いをしながら撮った写真なのに、あれこれ中傷されるなんてひどいわ」

「そうだな、昔の写真まで載せなければならないし。おまえ、後悔してるよな」

夫が慰めてくれた。でも、私は頭を横に振った。

私は、誰でも「輝き」を取り戻せると信じている。

平凡な主婦でもエクササイズでここまで変われることを、どうしても多くの人に知ってもらいたかった。

私は、黙ってアルバムをめくり始めた。

2 もう「おばさん」だとあきらめるしかないの？

6年前のある日、私の一日はいつものように始まった。

朝早く起きて、朝食を済ませ、後片づけをする。その後は私の一番嫌いな掃除が待っていた。

もともと掃除が嫌いだったわけではないが、いつからか雑巾がけが死ぬほど嫌いになってしまった。夫と姑《しゅうと》は掃除機だけかければいいと言ったが、インテリアデザイナーだった私は、掃除機だけでは気が済まなかった。

散らかっている部屋や居間、湯あかがあちこち目につくお風呂——見るだけでため息が出てしまう。子供を産む前はピカピカできれいな家だったのに……。

掃除を始めようとすると、とたんに広く感じる部屋。

しぶしぶ雑巾を手にしたとき、玄関のベルが鳴った。

「ヒョクのお母さん、こんにちは」

同じマンションの奥さんたちだった。私は、雑巾をお風呂場に投げ出し、ドアを開けた。

「お義母様《かあ》はいらっしゃらないわよね」

私より我が家のことをよく知っている奥さんたちがおかしかった。内気な私だが、同じマンションに長く住んでいると、自然に知り合いになる人々がたくさんいた。

「久々の休みでしょう、何していたの？」

「ええ、掃除でもしようかと思って」

「はあ？　休みの日は休まないと……。掃除なんて。お義母様が子供たちを連れて出かけたんでしょう。こんな日はなかなかないわよ。掃除なんてやめて、私たちとチヂミでも作って食べましょう」

私は少し戸惑《とまど》った。せっかくの休みではあるけれど、こうして奥さんたちとおしゃべりをしながら過ごしてはもったいないのではないか。

でも、考えてみたら、これといってやることもなかった。外に出かけるのも面倒だし、会おうと誘ってくれる人もいないし……。私は、皆と一緒にチヂミを作り始めた。

「前の棟のヘビンちゃんの1歳の誕生日祝いに行ってきた？」

ウォンソンのお母さんの質問に私は首を横に振った。

もともと他人の行事などに参加することがあまり好きではない私としては、知り合ったばかりの新妻の行事まで覚えているウォンソンのお母さんをむしろすごいと思った。

「たくさんのお客さんが来ていたの。だけど、あの奥さんも心配ね」

「どうして？」

「太りすぎなの。彼女によると産後17キロほど太ったって。〝そろそろやせないと〟って言って、すでに1年もたつというのに、いつやせるのよねえ！」

ウォンソンのお母さんの話に皆がうなずいた。

「そうね、気の毒ね、お子さんを産む前はすごくきれいだったんでしょう。この間、あの家でアルバムを見たら、女優さんよりもきれいだったわ」

「まあ、昔は皆きれいだったでしょう、でも、子供を産んで育てるうちにこうなるのよ」

奥さんたちの嘆きが始まった。

「〝ダイエットしたら〟と言ったら、彼女はうつ病なんですって。昔はそんなことなかったけど、太ってしまったら生きたくないと思うことがあるんですって。だから私、しかったの。子供を育てるお母さんが言う言葉ではないでしょうって。でしょう、ヒョクのお母さん？」

ウォンソンのお母さんの言葉に私は反射的にうなずいたものの、ヘビンのお母さんの気持ちも分かるような気がした。

＊私は誰のせいでこうなったの

68キロ。

ほかの奥さんたちの話のように、出産を経験して子育てに追われているのだから仕方ないと思って暮らしてはいるけれど、結婚後20キロ以上も太ってしまった体重のため、私がどれだけ苦しんだのか、経験していない人には分かるはずもない。

私も子供を産む前は、「太る」ということがどんなものなのか一度も経験したことがなかったので、肥満が人をどれほど萎縮《いしゅく》させてしまうのかも分からなかった。

妊娠中に太っていたときも、子供を産んだら自然に元に戻るだろうと思っていた。

でも、子供を産んでからも体重は元に戻らず、洋服だんすを開けてみても、着られる服はフリーサイズのTシャツやジャージだけだった。

しかし、のんきな性格のためなのか、それとも忙しい日々のせいか、うつ病にはならなかった。

――もうすぐ、元の体重に戻るわよ、こんなに大変で忙しいから自然に元に戻るはずよ。

こう言って、自分を安心させていた。しかし、夫は私の太った姿にショックを受けたようで、

「おまえの後姿、ずん胴だなあ！」

ある日、服を着替えている私を見ながら無神経に言い放った。

夫の言葉の意味が分からず、私は鏡の前で自分の後姿を見てみた。
するると、夫の言葉の意味が分かった。
ぜい肉たっぷりの背中、くびれのないウエスト、夫の言葉どおり、私の後姿は肩からお尻まで直線でつながった四角形だった。いや、四角形でとどまらず、四角が横に伸びた楕円《だえん》形になることも時間の問題のように思われた。

「私は誰のせいでこうなったの」

夫に言い放って、私は部屋を飛び出してしまった。夫は少し責任を感じたのか、私の後姿にごめんと言った。でも、傷ついたのは夫のせいではなかった。完全に変わってしまった私の姿、それは「昔のような姿に戻ることは不可能」だという証拠のように思えたからである。

もう二度と、昔着ていた洋服を着ることができないだろう。独身のときはやっていたミニスカートとか、体にフィットするシャツなどを捨ててしまわなければならないときが訪れたのだ。

「あらダヨンさん、どうしたの。昔はとてもきれいだったのに……」

独身のときの私を覚えている人たちが今の私を見てあざ笑うような気がした。だらしない生活をしていて、あんなふうになってしまったのだろうと非難されるような気がした。

でも、そんなこともすぐ忘れてしまい、いつものように繰り返される日常に忙しく追われながら暮らしているだけだった。

「私たち、皆でダイエットしようか」

キッチンから新しいチヂミを持ってきた一人がそう言うと、皆が深刻な顔になった。

私もそうだったが、ダイエットを決心しながら実行に移さなかった主婦たちはどれくらいいるだろうか。

しかし、ダイエットという言葉と同時に「食事制限」「病院」「規則的な運動」「我慢」……これらの単語が思い浮かび、私は頭を横に振ってしまった。

そのとき、ウォンソンのお母さんが明るく言った。

「ダイエットなんて、独身でもないのに、おばさんが何のためにやせるの。みんな今までどおり暮らしましょうよ。輝きは過ぎ去ったのよ」

彼女の言葉に皆がキャッキャッと笑いながら、再びチヂミを食べ始めた。

でも、私は食欲がなかった。頭の中にはウォンソンのお母さんの言葉だけがもやもやとしていた。

――私たちの輝きは、本当に永遠に過ぎ去ってしまったのだろうか。

＊「ナインハーフ」事件

ある週末、私は夫と一緒にビデオを見ていた。私たちもほかの夫婦と同様に、週末しか一緒にいられる時間がなかった。

この1週間、夫の顔を見ることもなかなかできなかった私には何よりも大切な時間だった。

その日も夫は帰りにビデオを借りてきた。夫がビデオ鑑賞の準備をする間、私はキッチンでピーナッツを皿に盛ってきた。

「今日はどんな映画」

「ナインハーフ」

「それ、昔見たじゃない」

「懐かしいと思って借りてきたんだ。また見てもすてきな映画だろうと思って」

夫の言葉に私は口をとがらせた。映画の内容は何度も見る価値があるとは思うけれど、どうも夫の意図は不純に思えたのである。

この映画はキム・ベイシンガーのセクシーな姿に満ちた映画だからである。でも、そんな不満もあっという間にどこかへいってしまい、私と夫はすぐ映画に夢中になった。

映画に夢中になった私たち夫婦は、何もしゃべらずブラウン管の中で繰り広げられている話にのめり込んでいった。ところが突然、夫が私を見ながら聞いた。

「なあ、この女優、おまえより年上だよな」

夫は画面の中のキム・ベイシンガーを指差した。

「たぶんね」

私は夫の意図が分からず、何とはなしに答えた。

「それなのに彼女にはぜい肉が全然ないね」

その瞬間、私の手のひらのピーナッツの皮が床に落ちた。

——彼女には？

一瞬、顔が熱くなった。私は怒りを覚えながら言い放った。

「彼女は女優でしょう！　専業主婦がこれくらいならいいじゃない」

それを聞いて、夫は私を上から下までじろじろと見てからこう言った。

「ああ、鏡を見てくださいよ、おばさん」

夫はビデオを止め、本当に私を鏡の前に立たせるではないか。

「ちょっと、何するのよ」

夫を振り払って、床に落ちたピーナッツの皮を雑巾で拭《ふ》き取った。

「ハハハ、その垂れているお腹を見ろよ。お前も昔はなかなかいいスタイルだったのに、もう青春は過ぎ去ったな。俺がおばさんと一緒に暮らすとは思いもしなかった。世の中のすべての女がおばさんになっても、俺はモデルみたいな妻と暮らすと思っていたのに……」

無神経な夫は私がどれほど怒っているのか気づいていないようだった。私は雑巾を置いて寝室の中に入ってしまった。居間からは再びビデオの音が聞こえてきた。

写真に写るのが大嫌いで、子供と一緒に仕方なく写したもの

＊うつ病ってこういうことなの？

――そういうあなたはミッキー・ロークよりすてきなの？　それにキム・ベイシンガーがあの映画に出たときは私より若かったのよ。あれは昔の映画じゃない！

映画を見ている夫にこう叫びたかった。

でも、そうはしなかった。会話を続けても私だけが悔しい思いをすると思ったからだ。

不思議なことだった。普段はもっとひどいことを言われても動じなかった私なのに……。

「どこに行くの？　ごみ捨てに行くの？　後で捨てればいいじゃないか」

部屋から出た私は、夫の隣で映画を見るのが嫌だったので、ごみ袋を持って外に出た。

これ以上映画を見ていると涙が出そうだった。夫は相変わらず映画に夢中になっていた。

私はごみを捨てて、公園のブランコに腰をかけた。

「彼女にはぜい肉が全然ないね」。夫の言葉が耳に残っていた。

夫は当時エンターテインメント会社を経営していた。

職業柄からか、女性のスタイルに関心が高いようだった。特にアメリカの歌手のシェールが好きで、私を刺激するためによく彼女の話題を引き合いに出した。

「彼女は芸能人でしょう。スタイルの維持だけで莫大なお金を費やしているそうよ。私もそんな時間とお金さえあれば、彼女くらいにはなれるわよ。それに、彼女の体は整形手術で作られたそうじゃない」

こういう私に夫は答えた。

「果たしてそうかなあ、俺が彼女を尊敬するのはスタイルだけじゃないよ。あの歳であれだけのスタイルを維持しようとするなら、精神力自体がほかの人とは違っていないと。あれだけスラっとしたスタイルを維持できるのは、それだけ徹底して自分を管理できるということなんだよ」

私は、夫の話を思い出しながらそっとシャツの中をのぞいてみた。

だらっと垂れている下腹、手でつかんでみるとぜい肉が雑誌の厚さくらいはあった。

それがすべて脂肪の塊であることは私も分かっていた。

——私だってこんな体が気に入らないのよ。

急に涙があふれ出てきた。でも、夫にこれ以上不満を爆発させたくはなかった。

ただ、今の自分の姿があまりに惨めで、これからの生活が全然幸せでないような気がしたのだった。

——これがうつ病かな。

ふっと、うつ病にかかったという奥さんの話を思い出した。夫が言った言葉は、普段よく言う冗談と同じだったが、その日に限ってどうしてこんなに悲しいか分からなかった。

力が抜けて、ブランコから立ち上がる力さえなかった。

肥満のせいでうつ病にまでなったのではないかと心配になった。体だけでも大変なのに、心までつらくなるなんて……。

「おまえ、ここで何しているんだ、寒くないのか」

夫だった。もう映画が終わったようだった。

「うん、別に……。今帰ろうとしていたところ」

私はすばやく涙を拭いて、夫のほうに行った。

夫は私を泣かしたことにまったく気づいていないようだった。

＊お客さまのサイズはありません

「ナインハーフ事件」以来、私は夫の前で着替えることができなくなった。

夏が近づいていたが、私は半ズボンも袖なしのTシャツも着なかった。

それなのに、夫は私のこのような変化にまったく気づいていないようだった。結婚して4年しかたっていないのに、私はすでに女からおばさんに変わってしまった感じだった。

そのころ、表面上はあまり分からなかったが、私のうつ病は進行していたように思う。

当時義母は私たちと同じマンションの下の階に住んでいて、食事は私たちのところで一緒にしていた。もし、義母さえいなかったなら生活なんかほったらかしにしたかった。

愛嬌《あいきょう》やセンスがあるわけではないけれど、家族においしいものを作って、子供たちとよく遊ぶ母という役割も飽きてしまった。人から優しいとほめられることも嫌になった。それは、スタイルは崩れているが、心だけは優しい人だと言われているように感じられた。

そのころは、選ぶ服もすべて大きいサイズのものばかりだった。洋服を買う店も限られてきて、好きなように選べなくなっていた。たまたま、気に入ったデザインの服を選ぶと、店員は困った表情でサイズのせいにしながらほかのデザインを勧めたりした。

「申し訳ありませんが、お客様のサイズはございません」

これくらいは親切なほうだった。

エクササイズするようになるとは夢にも思わなかった６年前のある日

若い女性用の服を売っている店の店員は、私が店に入っても知らんぷりだった。

彼女たちにとって私はお客さんではないようだった。

太っていることを意識するようになってから、肥満は私のコンプレックスになった。太っているという事実のために人が大勢集まるところは避けるようになり、人と知り合うことも怖かった。

家族以外に会う人は、同じマンションの奥さんたちだけだった。

そのため、いつも私はうつむいた姿勢で歩いていた。

実は、私にはかなり前からうつむいて視線を下に向けたまま歩く癖が身についていた。

「チョン・ダヨンさんは典型的な女性だね、おしとやかに歩くんだね」

「猫をかぶるのはよせよ」

男も女も私がおとなしいふりをするためうつむいて歩くと思っていた。また、ほとんどの人はそんな私を気に食わないようだった。私が男性にもてようとしてそうしているのだと思っている人もいた。

しかしそれは、私の目のコンプレックスからきていることを知っている人はほとんどいない。

3 コンプレックスの塊だった私

中学時代、目に大きなけがをしたことがある。

当時遊び器具も少なかった冬の最も楽しい遊びは、ソリだった。その日も、私は兄と一緒に竹でソリを作った。前日、雪がたくさん積もったので、私たちはうきうきしていた。

私は竹のソリに乗って、坂道を下りていった。竹のソリは思ったより滑り、ものすごいスピードで坂道を走っていった。そのスピードに驚いたのは私だけではなかった。

「ダヨン、気をつけろ！」

兄は叫んだ。今も覚えているのは、びゅうびゅう吹いていた風と兄の悲鳴だけだ。

私は倒れ、胸とまぶたに大きなけがをした。幸い傷は治ったが、まぶたの神経が傷ついてしまった。そのときから、私は片方のまぶたが不自由になった。思春期のとき、このことを人に知られるのが怖くて、人に会うことを嫌ったし、あまりしゃべらなくなった。

目に対するコンプレックスは、高校時代のある出来事でもっと強くなった。

高校時代も私は相変わらずうつむいて歩く、静かな子だった。

そんなある日学校で、ある同級生が自分の食べていたお菓子を私に投げた事件があった。

「いたっ！」

顔を手で覆いながら、私は菓子が飛んできた方向を見た。

「何よ、むかつく、何見てるのよ」

問題児で有名な子たちだった。そして、私に向けて悪口を言い始めた。私はわけが分からず、呆然としていた。その子たちは食べていたお菓子を何度も私に投げつけながら悪口を言った。

「あんた、男の子にもてようと目の整形手術をしたんだって。その手術が失敗して目を隠してるんでしょう。ほんと、むかつく」

私は同級生たちのこの言葉で頭が真っ白になった。「目」という言葉が心臓に突き刺さり、私の心は相当傷ついた。私は悪いこともしていないのに、逃げるようにその場を去った。

その後、私はさらに小心者になってしまった。人に会うのが怖くて、ほとんどの時間を一人で過ごしていた。子供のときは、はつらつとして活発な子だった私は、こうして消極的で怖がる子に変わっていった。

＊ますますひどくなるうつ

目に対するコンプレックスは、社会人生活をして夫に出会い、家庭を作ることによって少しずつ薄れていく気がした。

しかし、肥満は目のコンプレックスとは比べものにならないほど深刻なうつ病をもたらした。

――私は必要のない女なんだ。

――もう、私を女性として見てくれる人はいないでしょうね。

――インテリアデザイナーだったと言っても誰も信じてくれないだろう。

――夫は、外でかわいい女にたくさん会うんでしょうね。

悪い思いは後を絶たず、私を悩ませた。


でも、「何かを始めなければいけない」という気にはならなかった。

憂うつになると、いつも部屋に閉じこもって外に出なかった。

一日3回のごはんを作り、子供たちの面倒を見るだけでも十分だと思っていた時期だった。

こんな状況なのに夫は私の変化に気づかなかった。

「今日、夫婦同伴のパーティーがあるんだけど、出てこられないか」

たまに夫から電話がかかってくると、私は100パーセント断っていた。

そうすると、夫は慣れてしまったからか、理由も聞かずに電話を切った。

私は、夫婦同伴のパーティーだけではなく、昔の友人たちの集まりや、知り合いの結婚式などにも出席しなかった。マンションの外に出なければならないすべてのことが負担に思え、だんだん家の外に出かけない日が増えていった。

そういった誘いを断るとき、私はいつも着る服がないからと言い訳をしていた。

実際、本当にそうだった。洋服だんすの中で私が着られる服といっても、お尻やひざのところがぼろぼろになっているジャージと、夫が着ても十分なサイズのTシャツしかなかったのだから。

しかしそれよりも何よりも人の目が怖かった。

――どれだけ怠けていたら、あんなに太るのだろう。

――あの女の夫の心は広いね。

私を見た人は、皆そう思うのではないかと思った。

今振り返ってみると、私は当時深刻なうつ病にかかっていたようだ。

4 「あきらめ」でなく「輝き」を選択したい

「ナインハーフ」事件以後、一切外出をやめて家事だけをかろうじてやっていた私を外に呼び出してくれたのは、隣の奥さんだった。

「ヒョクのお母さん、最近どうして出てこないの。このままだと、メンバーから外されるわよ。今日、チェヒョンさんの家で遊ぶことになったから、必ず来てね」

特別な集まりではなく、同じ年齢の子供がいるというだけで親しくなった仲だった。

何か目的があって集まるわけではなく、一緒においしいものを食べて、おしゃべりをすることがメインだった。

私は、ストレス解消のつもりで参加することにした。

私が着いたとき、ほかの奥さんたちはすでに集まり、喜んで私を迎えてくれた。

そのとき、不思議なことが起きた。

その日に限って、なぜか彼女たちの話していることが耳に入らず、もっぱら彼女たちの体にだけ目がいった。

――おかしいな、どうしたんだろう。皆の体型なんか気にしたことなかったのに……。

そう思いながら、奥さんたちをゆっくりと見てみた。

丸い肩、ぽっこり出ているお腹、張りのないお尻と太もも……。若い奥さんも年上の奥さんも体型にそれほど差はないように見えた。私の体も彼女たちと同じでしょうね、と思いながら彼女たちのそばに座った。

「ああ、お腹すいた。何か出前して食べましょう。ボサム[※]なんてどう、いいわよね」

12時にもなっていないのに、奥さんたちはお腹がすいたと騒いでいた。ボサムはすぐ来た。

でも、私は食べたくならなかった。

「ヒョクのお母さんは食べないの。ダイエットしているの」

ウォンソンのお母さんの話にほかの奥さんたちはカラカラと笑った。

私はここぞと思い、キム・ベイシンガーのスタイルと私のことを比べていた夫の話をした。

奥さんたちが慰めてくれると思ったのだ。

彼女たちに慰められればうつ病も少しは良くなるだろうと思った。

でも、私の期待とは違って奥さんたちは笑い始めた。

「夫に何を期待しているの。もともと男は鈍感なんだから」

「ヒョクのお母さん、このままでいいじゃない、どうしてスタイルを心配するの」

奥さんたちは、むしろスタイルの問題を真剣に考えている私を責めた。

私は言い訳のつもりでこう言った。

「子供を産んで20キロも太ったんですよ。独身のとき着ていた服は全部捨てなければならないから、悲しくなるのは当然でしょう。昔は私もスリムだと言われていたのに……」

その私の言葉に同調する奥さんもいた。

「そうね、昔は私もミニスカートばかりはいていたわ」

「昔話なんかしてどうするのよ。どうせ子供を何人か産むとスタイルは崩れるものよ。余計なことを悩まないで、ボサムでも食べようよ」

ウォンソンのお母さんの言葉にチェヒョンのお母さんも一言付け加えた。

「ぜい肉の話はやめて。ボサムがまずくなるじゃない！」
※ゆでた豚肉をキムチなどとともに白菜などの野菜で包んで食べる料理

＊おばさんと呼ばれるには若すぎる！

奥さんたちは再びボサムを食べ始めたが、私は相変わらず食欲がなかった。

私が傷ついた事件が彼女たちには深刻な話題にならないことが、新たな疑問だった。

「最近、うちの夫が以前は使わなかった香水をつけているんだけど、どう思う」

ボサムがほとんどなくなったころ、ある奥さんが出した話題で皆のおしゃべりは再び弾んだ。

「それ、怪しいね。浮気のような気がする」

「浮気のようではなく、きっと浮気よ。注意して。こういうときは、物証を手に入れないと」

奥さんたちは、まるで自分のことのように熱弁し始めた。

しかし、私はその話題については何も思い浮かばなかった。普段なら、言いたいこともたくさんあるはずなのに、その日はなぜかそれほど話したくなかった。

不思議なことに、奥さんたちの声がだんだん小さくなり、代わりに彼女たちの崩れたスタイルだけが視界に飛び込んできた。

そして、だらっと垂れているお腹を隠して座っている自分の姿も思い浮かんだ。

その場にいる4人のうち、一番スタイルが崩れているのは自分だ、という気がした。

そして、だんだん憂うつになってしまい、それ以上そこに座っていられなかった。

「私、そろそろ失礼します」

「どうして、ボサムもほとんど食べなかったし、ヒョクのお母さん、おかしいわね」

「家に電話が来ることになってますから。また、今度」

こうはぐらかしては、急いで家に向かった。

家に着いてまっすぐ寝室に行った。鍵をかけ、服を全部脱いで鏡をのぞいてみた。

いっぱいに膨れた顔、がさがさしている肌、あごはすでに二重あごになっていて、二の腕は力を入れても私の意思とは関係なく揺れていた。

二段のお腹はTシャツでも隠しきれず、お尻はパンツでは支えきれないほどパンパンだった。太ももは肉割れになっていて、ふくらはぎは昔の太ももと同じ太さだった。

30分くらい過ぎただろうか。結婚後、最も長く自分の体を観察した。

ついでに、ベッドの下にしまっておいた体重計も取り出した。

そして、死刑台に上る気持ちで体重計に乗った。

針は65キロから70キロの間を動き、68キロのところで止まった。

「昔は48キロを超えたことはなかったのに……」

思わず独り言を言った。そして、ふと正気を取り戻した。


――ちょっと待って、私今何歳だっけ、まだ34歳じゃない。人は青春が過ぎ去ってしまったと言うけれど、人生が終わったわけじゃない。このままの状態で一生を過ごすのは嫌。

もちろん、若返ることはできない。ただ、好きな服を選べるだけでも、ぜい肉に埋もれた姿のせいで人前でいじけることがなくなるだけでも良いと思った。

その日の夜、家計簿をつけていて、その隅にこう書いた。

「もう、こんな姿と気持ちで生きられない。今日からぜい肉へ宣戦布告する！」

5 ダイエットに目覚めた私

私のことについて、こんな皮肉を言う人たちがいる。

「彼女は星回りがいいから、お金や時間をかけてエクササイズしているわけでしょ。私みたいに一日中家事に追われていると、そんな暇はまったくないし、考える暇もないわ」

「夫の収入がいいから自分の体に投資できるんじゃないの。きっと、お手伝いさんや乳母もいるに違いないわ」

「平凡な主婦ですって？　真っ赤な嘘よ。あれくらいのスタイルを保つためには一日中エクササイズばかりしなければならないと思うわ。それが平凡なことなの？」

初めてそう言われているのを聞いたとき、「私のことをよく知らないのに！」と、怒りを覚えた。でもよく考えてみると理解できることだ。もし6年前の私が今の私を見たら、私もやはり彼女たちと同じように思っていただろう。なぜなら、今の私の体型は普通の主婦の生活からは不可能に見える体つきだからである。


結婚後、私はすぐに妊娠した。自分の健康や人生については考える暇もなく、年子の男の子と女の子を持つ二児の母になった。子供一人でも自分の時間はなくなってしまうというのに、幼い二人の子の面倒を見るには1日が短すぎた。

また、夫の実家は同じマンションの下の階にあった。義母と夫の兄、妹まで……。

義母は心温かく良い人だったが、家事はあまりしなかった。

若いころから長い間仕事をしていたため、自分で食事を準備することはほとんどなかったようだ。その代わり、おいしいと評判の店には詳しくて、味には厳しかった。

親と同居する嫁は皆同じだろうが、私は一日3食の準備をしなければならなかった。

朝食を食べた後に後片付けをし、その後すぐに昼食の準備、また夕食の準備の繰り返し。

いつも同じパターンで一日が過ぎて、一ヶ月が過ぎて、一年が過ぎていった。

しかし、これといった不満はなかった。

もともとのんきな性格であったし、料理好きで、作った料理を家族からおいしいと言われるのは嬉《うれ》しかった。朝ごはんを食べ終えると夫の妹はこう言った。

「お姉さん、お昼はかぼちゃのおかゆを作りましょう」

そして、おかゆが出来上がるころになると夫の兄が出てきて、

「俺はラーメン」

今考えると笑ってしまうが、そのころの私は一日中キッチンの中をせかせかと歩き回って過ごしていた。

さらに、子供たちにどれだけ手がかかったことか……。

＊腰が痛いのは太っているからです

エクササイズをすることなど考えもしなかった私がやむなくエクササイズを始めたわけは、腰の痛みのためだった。

出産後あらわれた腰痛は、時間がたてばたつほどひどくなり、重いものを持ち上げられないのはもちろん、寝るときも痛みでうめくほどだった。

普段立っているときも痛みでへっぴり腰でしかいられなかった。

とにかく何とかしなくちゃ、と思うのもほんの一時で、専業主婦であった私はゆっくり休むこともできなかった。

「もしかして、ヘルニアになったんじゃないかしら。ヘルニアは一生治らないそうだけど、手術しなくちゃいけないのかしら。まさか、違うわよね。いや、ヘルニアでなきゃこんなに痛いはずがない」

一人で変な想像をすればするほど、私は腰痛に苦しんでいった。

「ダヨンさん、一度病院に行ってみたら。我慢するだけがいいことじゃないわよ」

ある日、腰が痛くて息を止めて顔をゆがめている私を見て義母が言った。私は義母に何度もそう言われてようやく病院へ行った。検査が終わると、医者は無表情な顔でこう言った。

「ヘルニアではありません。すべて肥満からくるものです。腰に脂肪だけが多くて筋肉がまったくないので、支える力がなくて腰痛になるのです。週に1回リハビリをしてください。でも、体重を減らさないと意味がありませんよ」

またもや、太っていることが問題だった。

――ああ、なんて憎たらしい脂肪なのかしら！

腰回りの脂肪を見ながら私は心の中で叫んだ。本当に見るのも嫌になる脂肪だった。無駄な脂肪のせいで、生きることも嫌になるほどうつになり、人前に出る自信も失い、日常生活に支障をきたすほど健康も損なわれたのだ。

医者の言葉どおり、週1回リハビリに通った。

しかし、気持ちよくなるのもほんの一時で、根本的な痛みは消えなかった。

「ジムに通ってみてください。やせるし、そのうちリハビリのような効果もあらわれますよ」

エクササイズというと、やせるために必要なものくらいに考えていた私には新しい処方だった。

「ああ、今回は逃げられないかな……」

ダイエットをしようかと思っていたときも食事を抜くことだけを考えていた。

面倒でつらいエクササイズをするくらいなら、むしろ食事を抜いたほうがいいと思っていた。

しかし、腰が痛いということは、面倒だということよりももっと深刻な問題だった。

私は腰痛が治ればという切実な気持ちで、ジムに登録することにした。

＊ワンフードダイエットの落とし穴

エクササイズを始めてから2週間たったとき、銭湯に行って何となく体重を量ってみた。66・5キロ。

「あら、体重計が壊れているのかしら」。もう一度量ってみても同じだった。

「食べ物に気をつけて、エクササイズをしたことでやせたんだ！」

ダイエットをしようと思っても、まともに試みたことのない私は、ほんの少しの体重の変化に大きな喜びを感じた。気分が良かったせいか、腰の痛みも大分和らいだような気がした。

その日から私は毎日ジムに通った。

義母は、腰痛が良くなっていると聞いて、私がジムに通う1時間、喜んで子供たちの面倒を見てくれた。

しかし、体重はそこからまったく動かなくなった。毎日体重を量って、それでも信じられず、家にあるもので量ってみたが変化はなかった。私はかなりがっかりした。

今では、腰痛ではなく体重が最大の悩みになっていた。

「どうして、体重は減らないのかしら」

私は悩んだが、これといっていい方法も思い浮かばなかった。

そのとき知ったダイエットが1日中水と乾パンだけを食べるワンフードダイエットだった。

ワンフードダイエットというのは、一つの食べ物だけを食べるためにやせるのだと聞いた。ある人は、1週間に5キロもやせたと聞き、すぐに乾パンを買って食べ始めた。どれくらいの量を食べればいいのか聞いていなかったため、お腹がすくと乾パンをかじっていた。

「おまえ、まるで軍隊から一時帰ってきている軍人みたいだな」

食事の準備をしてから居間に行き、乾パンを食べている私に、夫はからかってそう言った。

義母の心配そうな視線も背中に感じられたが、やせるという決心は折れなかった。

しかし、乾パンダイエットを始めてから1週間が過ぎたとき、私はびっくりしてしまった。

68キロ。

やせるどころか、元の体重に戻ってしまっているではないか。

体が重い気がしていたのは、やせようとして力が抜けたためではなく、太ったために重く感じたのだと分かり、私は心底がっかりした。

「乾パンでダイエットができるはずないじゃない。乾パンのカロリーはすごく高いのよ。乾パンじゃなくてりんごダイエットをしてみたら。私の姪《めい》がりんごダイエットをして3日間で5キロもやせたのよ！　その子はちょっとぽっちゃりしていたけど、最近はとても細くなったのよ」

ジムで知り合った奥さんが、私のダイエットの失敗談を聞いて教えてくれた。

3日間で5キロも……私はりんごダイエットでやせる話に心を引かれた。

1日に食べるりんごの量を確認し、私は乾パンダイエットのせいで元に戻った体重を減らしたい気持ちで、帰りにりんごを買って帰った。

「何、このりんご」

「いえ、別に。子供たちにりんごジュースでも作ろうかと思って」

私は適当にはぐらかした。

乾パンダイエットに失敗した後なので、誰にも私がダイエットをすることを知られたくなかった。

＊抜け出せないダイエット地獄

りんごダイエットはそれほど難しそうではなかった。

もともと果物は好きなほうだったし、自分で考えてみても乾パンよりは効果がありそうだった。しかし、一日3個だけでは足りなかった。それで、4個か5個くらい食べていたが、数が増えるたびに心配も増えていった。

りんごダイエットは本当に効果があった。1日目が過ぎると体が軽くなり、乾パンダイエットのときとは違い便秘もなくなった。しかし、2日目の午後からは体がだるくなり、力が抜けていった。それでもほとんど横になった状態でもう1日我慢した。そして3日後、体重を量ってみた。

65キロ！

5キロ減とまではいかないが、自分としては大成功だった。

「ああ、りんごダイエットは本当に効果があるんだ。もう少しがんばればもっとやせるだろう」

3日で3キロやせたのだから、1日1キロずつやせたことになる。その計算どおりなら、10日で10キロということではないか。58キロの体重、自分としては夢のような体重だった。

「よし、がんばってもう1週間だけ続けてみよう!」

私はもう10日間続けることにして、再びりんごを買いに行った。

しかし、2日もたたないうちに、私はりんごダイエットをあきらめなければならなかった。ひどいめまいで、私は子供を抱いたまま倒れそうになったのだ。

りんごダイエットをやめて普段どおりごはんを食べ始めると、体重は2日間で1キロ増えて66キロになってしまった。私は体重が元に戻ってしまうのではないかと焦ってしまった。元に戻るかもしれないと思うと、この5日間、飢えとめまいを我慢しながらりんごだけを食べていたことが悔まれた。しかも、果物の値段はとても高かったのに……。

私は、ほかのダイエットはないか調べてみた。すぐ効果があって、めまいがあってはいけない。そして何よりお腹がすかない方法がいい。

そうして見つけたのが、デンマーク式ダイエットとぶどうダイエットだった。

しかし、デンマーク式ダイエットには卵とステーキ、グレープフルーツなど、大家族と一緒に住んでいる主婦が自分だけのために用意するには難しい材料が多かったため、あきらめた。

それに比べて、何とかできそうに思われたのがぶどうダイエットだった。

また同じものだけを食べなければならないことが気になったが、雑誌によると、ダイエットに効果があるだけでなく、大腸も丈夫になるということだった。

＊どうして私はこんなに意志が弱いの

私は徹底してぶどうダイエットに専念した。

料理をしながら味を見るときは必ず吐き戻して、それでも足りないと思い歯を磨いたりもした。

そうして1週間がたつと、目に見えて顔がげっそりとした。

やがて目標としていた1週間が過ぎて、私の体重は61キロになっていた。本当に大成功といえるほどだった。ゴムズボンみたいなものはずり下がるほどだった。私は、めまいにフラフラしながらも「61」という数字に満足していた。

しかし、その数字が保たれたのはたったの3日だった。

ぶどうダイエットは一種の断食なので、その後の補食がさらに重要なのだ。ぶどうダイエットの期間の何倍もの期間、徹底して補食をしなければ、ダイエットは完全に成功しないのだ。

最初の1週間は重湯だけを食べて、その次の週はおかゆ、その次は少量のごはんとなっている。

しかし、これを守ることはとてもつらかった。

まず、ぶどうからの解放感で、食欲を抑えることが非常に難しかったのだ。

重湯を口にしたら、キムチの誘惑に勝てず一つまみだけ口にしてしまった。

辛くてしょっぱいキムチは私の胃を刺激し、ほかの食べ物もくれとわめきだした。

私は1日で重湯を食べるのをやめ、キムチを食べ、3日もたたずにご飯とおかずなど、ダイエットをしていたころに食べたかった食べ物をすべて食べてしまった。

そのようにして1週間が過ぎると、ぶどうダイエットを始めたときの体重よりも3キロ増え、68キロと元の体重に戻ってしまった。

「私はどうしてこんなに意志が弱いの……」

そう思いながら、私はまた新しいダイエット法を探していた。

ダイエットは抜け出そうとすればするほどはまってしまう沼のようだった。

そして、増えた体重とともに私のうつ病はよりひどくなっていった。

第二子を出産し、腰痛と肥満がますますひどくなったころ

6 再びジム通い

ぶどうダイエット以後リバウンドで体重が元に戻ってから、ダイエット前より体の状態が悪くなったことに気づいていた。

依然として腰が痛かったし、ダイエット前にはなかった肌のトラブルまで起きた。

同じ体重とはいえ、ダイエット前とダイエットに失敗した後の体は確かに違っていた。

ダイエットをする前の体は自分の体という感じだったが、幾度かのダイエット失敗の後の体は、水でぶくぶくに膨れたような形になっていた。

ぶよぶよした脂肪のため、自分の体は重く沈むような感じだった。

しかし、まだ新しいダイエットを始める気にはならなかった。

食事制限によるダイエットなど最初からするな、という医者がいるほど、ダイエット後のリバウンドは恐ろしかった。

何度もダイエットに失敗した後、私が得たものがあるとしたら、やせることよりやせてからの体重を維持することにもっと気をつけなければならないということだった。

しかし、それがどれほど難しいことなのか、経験したことのない人には分かるはずがない。

ダイエットをやめてから、私は以前の生活に戻った。毎日毎日同じことの繰り返しの日々。肥満のためうつ病になってから、顔からは笑みが消え、腰が痛くても病院に行こうともしなかった。

そんなある日だった。

朝の後片づけを終えて居間に行くと、テレビを見ていた義母が私に言った。

「ダヨンさん、最近どうしてエクササイズしに行かないの」

「え……」

「腰、痛いんでしょ。ジムに行ってエクササイズしなさい」

義母の声はとても心配そうだった。私が笑わないで黙っているのは、腰が痛いせいだと思ったようだ。私は、わざと笑いながら答えた。

「そんな時間ないじゃないですか。朝食を食べてから後片付けして、子供の面倒も見ないといけないし。この町には託児施設のあるジムもないでしょ。子供たちがもう少し大きくなったらエクササイズできるかもしれないけど、今は無理ですよ」

すると、義母はさびしい声でこう言った。

「私がいるじゃないの。私に任せて通えばいいじゃないの。ほかの人が聞くと、嫁の腰痛がひどいのに、知らんぷりしている悪い姑だと思われるわよ。私は、料理はできないけど、後片づけはできるでしょ。だから、その時間に行ってエクササイズしなさい。子供のことは心配しないで」

義母の話に涙が出てきた。

私自身でさえ自分のことを大切にせず、誰も私のことを思ってくれないと思い込んでいたのに。私はこれ以上エクササイズを後回しにするわけにはいかなかった。

「はい……」

私はうなずきながら答えた。

＊家族に促されてジムに通う毎日

次の日から朝食の後は、義母に促されて毎日ジムに向かわなければならなかった。

ジムに行くと、私のような専業主婦が何人かエクササイズをしていた。私はほかの人のやっているのを見ながら、自分なりにランニングマシン30分、サイクリングマシン30分とスケジュールを立ててみた。やせるためには有酸素運動によって体の中に酸素を供給するのが一番だと聞いたため、エクササイズのほとんどはランニングマシンとサイクリングマシンに集中した。

私だけでなくほとんどの奥さんたちが、ランニングマシンとサイクリングマシンを使っていた。エクササイズが終わると、固まった筋肉をほぐすつもりで10分程度ベルトマッサージを行った。ランニングマシンとサイクリングマシン以外に多くのマシンが並んでいたが、それらを見ようともしなかった。

「ヒョクが保育園から帰る時間だけど……。ウンソは楽しく遊んでいるかしら」

ランニングマシンの最中、いろいろなことを考えた。子供たちの心配や、義母に対する罪悪感。そんなことを考えていると、エクササイズに集中できず早く帰らなければと気ばかり焦った。子供たちが具合が悪い日にはジムに出かけず、また来客の日には適当にエクササイズして家に帰った。しかし、義母の励ましのおかげで、ジムを休む日はそんなになかった。

そうして何ヶ月かたつと、自然にほかのマシンやダンベルに対しても興味がわいてきたが、ダンベルやマシンを使う人はすべて男性会員だった。

「あの、これの使い方を教えてもらえますか」

ある日、胸のエクササイズを終えて立ち上がる男性会員にマシンの使い方を聞いてみた。意外な顔をされたが、すぐに簡単なマシンの使い方を説明してくれた。

しかし、私にはまったく動かすことができなかった。

今考えてみると、男性会員がセットした重さのまま動かそうとしたため、動かせなかったのは当然のことだった。しかし、そのときはそういうことは考えられず、男性がするエクササイズを私がしようとしたことが恥ずかしくて、急いでロッカールームに行ってしまった。

そうしたこともあり、6ヶ月の間に使ったマシンは、せいぜい逆立ちマシンだけだった。ダンベルにも手を出さなかった。私がダンベルに触れていると、ほかの奥さんがこう言った。

「そんなの何でやるの。筋肉を作るつもりじゃないでしょ。女性に筋肉がつくと醜いわよ。そんなことはしないでランニングマシンを一生懸命にやったら。今日のテレビでもやせるには有酸素運動が一番だって言っていたわよ。走らないで、歩くだけでいいんですって」

奥さんの話に私もうなずいた。

ジムの壁のあちこちに張ってあった筋肉隆々の人たちの写真を見るたびに、私は気持ち悪いと思っていた。鍛えられた女性の写真を見ても、全然美しいと思わなかったので、ウェイトトレーニングは考えないことにした。

しかし、有酸素運動だけでやせるかどうかは疑問だった。

ダイエットに何度も失敗した後、便秘気味になり、肌のトラブルも相変わらずだった。そして、体重や体型の変化も感じられなかったのだ。

しかし、長年私を苦しませていた腰痛は完全に治っていた。規則的なエクササイズが腰痛に効果があることは確かであった。

＊格好いい体つきのトレーナー

ジムに通って6ヶ月、腰痛は治ったものの体重にはまったく変化がなく、ジム通いが苦痛になっていた。たまに1日でも休もうとすると、夫と義母に追い出され、仕方なくジムには来るものの、また退屈でつらい時間を過ごさなければならないと思うと落ち込んだりもした。

そんなある日だった。

夫の通勤途中に車で送られ、その日も私は一番早くジムに着いた。ドアを開けると、一人の女性が雑巾でジムの床を拭いていた。ジムのオーナーではないようで、初めて見る顔だった。

「あら、早いですね。おはようございます。今日からここでトレーナーを務めることになりましたアン・スンヒと言います」

それがスンヒとの初めての対面だった。スンヒはとても明るい声で私にあいさつをした。

短パンにぴたっとしたTシャツを着ているスンヒは、いくら多めに見ても20代半ばにしか見えなかった。

話をしているうちに、スンヒが私より一つ年上であることを知ってとてもびっくりした。

私はスンヒともっと仲良くなりたいと思った。ジムには会員も多くないし、同年代ということもあったが、何より私がスンヒに一目ぼれしたことが一番の理由だと思う。


「どうしてそんなに格好いい体つきなの」

私は「スリム」とは言わずに、「格好いい」と言った。彼女はもちろんスリムだったが、スリムという言葉だけでは説明しきれないほど、堂々として美しいと思ったからだ。

「エクササイズを続けていたからよ」

彼女はプロボディービルダーだったそうだ。しかし、ボディービルダーという言葉から連想される凸凹なイメージはなく、私は半信半疑だった。

「信じられないなら、ここを押してみて」

彼女に言われてすぐ、彼女の太ももを指で押してみた。そして心底驚いて目を見開いて聞いた。

「どうしてこんなに固いの。あなたの筋肉は鉄で作られているの。しかもどうしてこんなにつるつるな肌なの。マッサージでもしてもらっているみたい」

うらやましさに少し嫉妬《しっと》も込められた私の言葉に、彼女はケラケラと笑っているだけだった。

「ハハハ、エクササイズしたからそうなのよ。エクササイズすると、スタイルも整えられるし、血液循環も良くなって肌も潤ってくるのよ」

私はそれでもやはりスンヒの話が信じられなかった。

「私もエクササイズしているけど、全然そうならないのよ。やせないし、肌もだんだんたるんできている感じだし……」

「エクササイズを正しくしていないからでしょうね」

スンヒはそう言いながら、再び雑巾がけを始めた。

＊ウェイトトレーニングに挑戦！——有酸素運動だけではだめなの？

彼女と私の体はあまりにも違った。彼女が元プロのボディービルダーだったことを考慮しても、あまりに大きな差と言わざるを得なかった。そして着ているものも、彼女が若々しいぴったりしたフィットネスウェアなのに対して、私のほうはおしゃれ好きだった元インテリアデザイナーというにはあまりにみすぼらしいファッションだった。

彼女は若い女性のようなスタイルと肌の持ち主なのに対して、私は間違いなく太っているおばさんだった。

「モップもあるのに、どうして雑巾でやっているの。大変じゃない？」

「エクササイズで私のような健康体質になると、じっとしていられなくなるのよ。モップでなく雑巾で掃除するのは、とても運動になるのよ。運動だと思うと全然大変じゃないわよ」

ジムの3分の1もない居間を雑巾で拭くのも大変で、怠けていた私には想像もできなかった。

「スンヒ、私もがんばればあなたみたいに健康できれいなスタイルになれるのかしら」

彼女は明るく笑いながら答えてくれた。

「エクササイズのパートナーがいなくて退屈だったけど、よかった。よし、それじゃ、早速始めましょう。覚悟してね！」

スンヒはいくつかのストレッチを教えてくれた後、ウェイトトレーニングの原理について話してくれた。

「ウェイトトレーニングは筋力をつけるエクササイズなの。筋肉を育てるとだんだん体力がついてきて、脂肪ももっとたくさん燃焼されるようになるの」

彼女は話を終えるとすぐに、私にバーベルを持たせ、両側に5キロの重りをつけた。

バーベル運動は、胸の筋肉を育てるエクササイズだと言った。

私はスンヒが言うとおりにバーベルを持ち上げた。


ところが、バーベルを持ち上げる腕がぶるぶると震えて、バーベルがぐらついた。

胸のエクササイズだというのに、胸に力が入るのではなくて腕が痛かった。

「スンヒ、私どうして腕が痛いんだろう」

スンヒは私の問いかけに笑いながら答えた。

「まだ筋力がないからそうなのよ。力を集中させることができないから」

到底理解できる答えではなかったが、言われるとおりやっていればいつか理解できるだろうと思い、スンヒの言うとおりに一生懸命やろうと決心した。

スンヒは12回やろうと言ったが、10回が限界だった。最後の10回目は、スンヒの手助けでようやく持ち上げることができた。

それが限界だということが分からなかった私は、ただ力が抜けただけだと思った。

「もういいわよ。休んで」

スンヒの言葉はとても嬉しかった。私は腕を振りながら尋ねた。

「次は何」

「次もバーベル運動よ」

スンヒの言葉に私は顔をしかめた。またきついバーベル運動をしなければならないなんて！

スンヒは私の気持ちなど気にもとめず、1分程度休んでからすぐにバーベルを持ってきた。

2セット目は、1セット目よりもきつかった。私は8回行うだけで精一杯だった。しかしそれで終わりではなかった。スンヒはもう一度私にバーベルを持たせ、結局さらに7回持ち上げさせられた後、ようやくバーベルから解放してくれた。

その日はほかのエクササイズも何種類か行い、家に帰ろうとすると、スンヒが私を呼んでこう言った。

「明日体が痛くてもサボらずに必ず来ないとだめよ！」

明日は体が痛くなるだろうというスンヒの言葉どおり、私の体はすでにあちこち痛くなり始めていた。しかし、痛い体とは裏腹に、心は満ちたりていた。

7 新しい人生の選択

「ランニングマシンやサイクリングマシンがエクササイズでなければ、何をエクササイズと言うの」

「有酸素運動をするとやせるけど、体力を向上させるのは難しいの。

でも、ウェイトトレーニングをすると、やせながら体の中で筋肉の組織が新しく作られていくの。プヨプヨのぜい肉が固くなり、体を支えてくれるようになるの。

あなたの腰が痛かったのも筋肉組織がなかったからだと思うわ。脊椎が支えなければならない荷重はだんだん増えていくのに、それを支える筋肉がまったくないから、当然脊椎に負担がかかって、痛みを伴うのよ」

スンヒの話を聞いたら、今までずっとエクササイズしてきたにもかかわらず、元気がなくスタイルも変わらなかった理由が分かるような気がした。

「単に食事を抜くダイエットだけをしないでエクササイズも組み入れて。

私のように健康まで備えた体型になれば、楽しいことがとてもたくさんあるわ。

このまま毎日毎日同じような家事を繰り返し、ただよぼよぼになっていいの？　単に体重を落とすだけでは、かわいくもならないし、肌はしわだらけになるし、力もまったくなくなるし。主婦が何か悪いことでもしたの」

スンヒの話に思わず吹き出した。

それは私が感じて経験してきたことを、スンヒが代弁してくれたからだ。


私も含め、ダイエットをしても体力がついてこないために、すぐ疲れたり、日常生活に支障をきたすほど無気力になる人にたくさん会ってきた。

そのほとんどが、エクササイズでなく、食事療法だけでダイエットをした人たちだった。

10日間水だけ飲んでそれに耐えた人もいた。体重は減ったかもしれないが、しかし、いざ目標の体重になってみてもあまりきれいに見えなかった。体型が変わったわけではないからだ。さらに、急にやせたため、肌はたるむだけたるんでしまい、年齢より老けて見える人もたくさんいた。

そして残念なことだが、そういう人たちにはすぐにリバウンドが起こり、怖いくらいに太った。

スンヒは体の筋肉量を増やして体力を向上させてこそ、本当にきれいになると言ってくれた。

「よし、私もスンヒみたいな格好いいスタイルになろう。健康な体になればスンヒみたいに活発に生きることができるかもしれない。憂うつになることもなくなるかもしれないし。よし、とりあえず始めてみよう！」

私は新しい人生を選択することにした。その選択は、どんなにつらいときにも私を支えてくれる大きな力になった。

私もきっとスンヒのような体になってみせる。

＊私が選んだ新しい人生――毎日毎日若返る秘訣

「アイシャドーはどこにあるの」

朝６時30分、間違いなく化粧台の前で独り言を言うことから一日が始まる。昨日はリップスティックだったが、今日はアイシャドーだ。

私は娘の部屋のドアをそっと開けた。

机の上にキャップが開いたまま置いてあるアイシャドー……。

娘は私の化粧品に興味がある。どうやら毎日化粧をした顔で朝を迎える母がうらやましいようだ。

昔から、朝起きてまず私がすることはお化粧だった。ファッションに興味が高かったこともあるが、もともとは母の習慣がそのまま身についたのである。

でも、不健康な生活をしていたときのお化粧はただの習慣にすぎなかった。

しかしエクササイズを始めてから、私の化粧の意味は少し変わった。

単に他人より顔に何かを多く塗るという意味だった化粧が、これから始まる一日を積極的に迎える準備という意味になったのだ。

化粧にかかる時間は変わらないが、私の気持ちは１８０度変わっていた。

「今日は何を着ようかな。ジーンズスカートをはくから、ブラウン系は暗い感じになるかも」

服に関して選択の余地がなかった私が、服に合わせてお化粧をしている。

今日、どんな人が訪ねてきても、またどんな仕事をすることになっても積極的に迎え入れる準備ができているのだ。

毎日同じようなことが繰り返される日常であっても、受け身になって生活する一日と積極的に受け入れる一日とでは天と地の差があるということを私はよく分かっている。

朝、お気に入りの服を着てお化粧を済ますと、とても明るい声で子供たちを起こすことができる。子供や夫が朝寝坊しても腹が立たない。

昔だったら、早く起きないと小言を言い続けていただろう。

子供と夫が出かけてから家事に取りかかるが、掃除のときはいつもスンヒのことを思い出した。

「こうやって雑巾がけをしている姿にほれたのよね……」

私は雑巾で家の隅々を拭きながら心の中で笑った。

スンヒの言葉どおり、雑巾がけは大変なことではなかった。

いや、雑巾がけは私にとってとてもよいエクササイズだった。

近所の奥さんたちにエクササイズを勧めると、「とても時間を作れない」と、試しもせずに首を振った。エクササイズの分家事の時間が減るし、エクササイズで力を全部使ってしまうと、家事ができなくなるというのだ。

「違いますよ、とりあえずエクササイズを始めてみてください。家の中がもっときれいになりますよ」

こう言っても、奥さんたちは半信半疑のようだった。しかし、私は彼女たちの気持ちが理解できた。やってもやっても終わらないのが家事であり、ちゃんとやったとしても目立たないのが家事なのだ。

しかし、エクササイズをすると不思議なことに時間ができる。私の場合、時間さえあれば冷蔵庫の掃除をして、キッチンやガスレンジは毎日磨き、１日３回家中を雑巾で隅々まで拭いている。それでも時間が余って何をしようかと考えたりする。

こう言うと、もしかしたらこんなことを言う人がいるかもしれない。

「それはあなたがスーパーウーマンだからできるんですよ。あなたみたいな人がいるから、普通の女は能力がなさそうに見えるんですよ」

＊すべての基本は「健康」にあり

私も昔は雑誌などに出てくる女性たちが、仕事と家事はもちろん、自己管理まで完璧に行っていると言うたびに、憎たらしく思い嘘だろうと言っていた。

どうやって？

今その秘訣は、エクササイズであることを知っている。問題は体力だったのだ。

まったくエクササイズをしなかったころは、雑巾をかけるのに1時間では足りなかった。手の力が弱くて雑巾を絞るのも大変だったし、お膳を上げられないほど腕に力がなく、2回の雑巾掃除のうち1回は座り込んで休まなければならなかった。腰まで痛いときは寝込むことも多かった。

しかし、エクササイズのおかげで体力がつき、家事がまったく負担にならなくなった。すべての行動がテキパキして、活力も増した。体がつらくならないから、家事をやってもしかめっ面にならず、いつも明るい顔で家族に接することができ、家族たちの表情も同じように明るくなった。

もう一つの大きな変化は、子供に対する私の態度だ。産後肥満でうつだったとき、まだ幼かった子供たちは幼稚園から帰ってくると何か特別なものを食べたがった。

「ママ、ジャージャー麺が食べたい」

「チラシを持ってきて、出前頼んであげるから」

テレビを見ながらそう言うと、子供たちは自分たちに無関心な母にさびしい思いをしたのか、私が作ってくれるものが食べたいと言った。しかし、そう言われた瞬間、私は苛《いら》立ちが込み上げ、

「何よ、出前でいいじゃない、食べたくなければ食べな

私の家族、私が一番愛している人々

くていいわよ」

こう言い放って、私は店の電話番号を押した。

今は、ほとんどの料理を自分の手で作っている。それは、健康な体に必須な食べ物について新たに認識したこともあるが、何よりも料理が面倒だとか大変だとかまったく思わなくなったことが大きな理由だった。

また、子供たちの将来に対する考えにも変化が起きた。それは幸せの条件だ。もちろん、勉強や特技も生きるために絶対必要なものだが、そのすべての基本は健康にある、と思うようになったのだ。

＊パーティーの女王

「ダヨンさん、パーティーに行こう！」

去年のクリスマスが近づいたある日、ヒジョンがいきなり叫びながら家の中に入ってきた。

ヒジョンはジムで知り合った20代の英語講師だった。お互いをきれいだとほめ合っているうちに親しくなった、いわゆる姫病《コンジュ・ビョン》（お互いをほめ合う）仲間だった。ヒジョンはアメリカ育ちで、外国人のボーイフレンドをうちに連れてくるほど仲が良かった。

彼女の誘いはクリスマスパーティーだった。

――こんな歳でクリスマスを祝うべきなの。

――しかもパーティーなんて、そういうところに行ったこともないのに……。

しかし、すぐパーティーにはどんな服を着て行こうかと考えていた。

ダイエットに成功すると、世の中が前とは違って見えるとよく言われている。自分に自信がつき、楽しみが増えるのだ。服を自由に選んで着る楽しみ、そしてその服を着てやりたいことも多くなる。体力に自信があるので、何をやっても軽快に見え、自らも活力にあふれてくる。

「おまえ、派手すぎじゃないか」

パーティーの日の午後、正装した私を見て夫は顔をしかめた。

私の姿が夫には気に入らないようだと思い、すぐ鏡を見た。

フリルまでついて3段になっているミニスカートにへその見えるTシャツ、そして太ももまであるロングブーツ。

「どうして、醜い？」

心配そうに聞くと、夫は首を振りながらため息をついた。

「いや、かわいいよ」

「なのに、どうして」

「なあ、おまえだけファッショナブルでかわいいのに、俺は完全におじさんじゃないか」

夫の言葉に私は笑った。

他人からは若作りと言われるかもしれないが、20代の健康を保っている私は、20代の趣向も兼ね備えている。雑誌も20代が見るファッション雑誌だけを見て、音楽も最新のポップスが好きだ。

「わあ、ダヨンさん、すごくきれい」

ホテルで会ったヒジョンは大げさに言いながら笑って、彼女のボーイフレンドもしきりに親指を立てていた。

このような社交パーティーには詳しいと自慢していた夫は、その日のパーティーでは人と交わることができず、一人でいることが多いように感じられた。ひょっとすると、しきりにいろいろな人が私の周りに集まってきたからかもしれない。

私に関心を持って近づいてくる人々に、私が二児の母であると言うと誰も信じてくれなかった。しかも年齢まで言うと皆の表情が変わった。

「その年齢で、どうしてこんなにすてきなんですか」

私は人々の反応が嬉しくなかった。私の年齢くらいの女性に対する偏見をなくしたかった。

「ご存じないんですか。最近私くらいの女性は、皆私みたいなんですよ。皆すてきな人生を送っているんですよ」

女性なら誰もがパーティーの女王になれるということを、すべての女性に知ってもらいたい。

＊レッツエクササイズ！　エクササイズ一つで人生は変わる

去年の秋のある日、私は長男のクラスの給食当番だった。学校に行った私は、私より年下の奥さんたちから愚痴を聞かされた。

体中が痛いだの、子供を産んでから着る服がないだの、夫に女性として意識されなくなったなど、さびしい話ばかりだった。じっと聞いていた私は、私自身の感じている人生とはまったく違う毎日を送っている奥さんたちがかわいそうに思えた。

実はそういった愚痴は、何年か前まで私がいつも口にしていた愚痴ではないか。

しかし今はまったくそう思わない。

「今と昔、変わったことがあるとすればエクササイズを通じて健康になったことだけなのに、エクササイズ一つで人生がこんなに変わるのね……」

そのとき初めて自分の話を奥さんたちに聞かせたいと思った。

でも、むやみやたらとエクササイズを勧めるわけにもいかなかった。私の内向的な性格も問題だったが、それよりも年齢に比べて目立つ私の格好とスタイルを見て、平凡な主婦とは違う環境の中で生活しているのだろうと私のことを誤解している奥さんたちが多かったからだ。

ほかの人の手助けをしたいと思うのはジムでも同じだった。ジムに行くと、昔の私のように数多くのマシンの前でうろうろしている女性をよく見かけた。

私はもどかしくて、何か方法はないかと考えてみた。

「私のように輝かしい気持ちで生きる方法を教えることはできないかしら」

私がタンジ日報にメールを送ったのはこのような経緯からだった。

私は知ってもらいたかった。健康な体こそ真の美しい体であり、健康な体こそ幸せの基本だということを。そして、誰もが私のように再び輝けるということを。

自分の人生は自分でデザインできるのだ。

私と一緒に輝いた人生を選びませんか？
自分の人生は自分でデザインするもの。遅いということは決してありませんよ！

Chapter 5
私が選んだ新しい人生
～モムチャンダイエット７つの原則～

エクササイズを通して再び人生の輝きを取り戻すか、
それともあれこれ言い訳をしながら、秋と冬の間でうろうろするか。
あまり難しく考えるのはやめよう。
必ずやってくる輝きの日を想像しながら1日、1週間、1ヶ月間、そして2ヶ月間、
一生懸命エクササイズをしてみよう。
いつの間にかエクササイズをせずにはいられない自分に気がつくだろう。

第1原則 よく食べてこそ成功する

＊食事抜きダイエットは絶対成功しない！　体を飢餓状態にしないで！

すてきなスタイルになりたくて、女性たちはよくダイエットをしようと考える。

しかし、同時にため息をつく。

――ああ、またどのくらいの間食事を抜かなければならないのだろう。


食事を抜くのも苦痛なのだが、目標の体重まで達成した後、押し寄せてくる食欲を抑えることができないのが何よりも苦痛なのだ。

「私はどうして我慢できないのだろう」

「この程度の意志しか持っていないのに何をしようとしていたのだろう」

私もダイエットに失敗し続け、やせるよりもむしろ太ってしまった。

そして、自分自身を責め、精神的にとても苦しかった。

ダイエットをしたことのある人たちに話を聞いてみると、皆このような罪の意識を感じていた。

ひどい人になると、ダイエットをしたこと自体がうつ病を引き起こす原因になる人もいた。

「私は食べることさえ自制することができない」

このような考えが、自分には自制力がないのだとますます自分を追い込んでいく。

そればかりか、自分は獣にも劣ると考える人さえいる。

しかし人間も獣、いや動物の一種なのである。つまり生きようとする本能を持つ者は正常であり、そのことに気づかず自分を責めることは本能に逆らうことであり、無駄な抵抗なのだ。

昔の人々の暮らしを考えてみよう。

冬の食べ物の少ない時期や凶作の年など、飢えの時期を耐えてきた人々は、春の端境期《はざかいき》や祝祭の日になると十分に実った食物を収穫して思う存分食べた。このとき自制した人がいただろうか？

万が一いたとするならば、その人は貴族や富豪で、いつでも倉庫にたっぷり蓄えがあった人々だろう。

普段お目にかかることのない十分な量の食物を見た大部分の人は、いつ再びこのような食物を食べられるか分からないという気持ちから、まずは思う存分食べたことだろう。

私たちの体もこれと同じなのだ。

一食でも食事を抜くと、体は非常事態に突入する。

つまり、〝飢え死にする〟という危機的状況に陥ったと感じるのである。

しかし、人間の活動は中断されることがないので、体はとりあえず貯蔵されているエネルギーを使い、人間の活動を支える。そして次の栄養が供給されるのを待つのである。

ところが、その次も満足な栄養が供給されないと、体はもう一段階高い非常信号を伝えることになる。体の各部分は疲労と無気力を感じて、動きが鈍くなる。内臓も、できる限り動かないようになる。生命を維持するために必要なエネルギーを最小限に減らすためである。

しかし、いくら減らすといっても、生命を維持するためには、一定量のエネルギーが必要である。体は、このエネルギーを補うために何を利用するのだろうか。

このとき体の脂肪が利用されると考えている人もいるようだが、体の立場から考えると、脂肪は切り札である。体は、自分の生命が置かれた飢餓状態がいつ終わるのか分からないため、非常食料である脂肪をやたらに使うことができないのである。

そのためまず筋肉が分解される。筋肉を分解して、生きていくためのエネルギーを補うのだ。

このような状態で何かを食べ始めるとどうなるのだろうか。

体の立場では、このときこそ飢餓状態から生命をもう少し長く維持することのできる絶好の機会である。このような機会が今度いつ来るか分からないので、脳は食欲中枢を最大限に刺激する。

〝食欲〟はもともと本能であるが、このときの食欲はお腹がいっぱいになっても、到底止めることのできない異常食欲である。

そして、このとき食べた食べ物は、活動するエネルギーとして利用されるのではなく、非常食料、すなわち脂肪として蓄えられる。

食べたものがすべてぜい肉になるのである。

生命を維持するのに必要なエネルギー量を基礎代謝といい、男女の違いや年齢の違いでその必要量は異なってくるのだが、食事を抜いてダイエットをすると、エネルギーをため込むよう活動を抑制するため、この基礎代謝まで下がり、余計にやせにくい体質になってしまうのだ。

食事抜きダイエットをした後ぜい肉は再びついていくのに、気力は徐々になくなっていく理由はまさにここにある。

＊本能には逆らえない

人間は食物を通じて必要な栄養分を取り入れ、それを利用して活動する。

しかし、その栄養分が通常の活動だけでは消費しきれず体内に残った場合、炭水化物、たんぱく質、脂肪など、さまざまな形で蓄えられる。

蓄えられた栄養分は、その種類によって使われる用途が違う。

炭水化物は脂肪、たんぱく質などと合成してエネルギーを作り出すのに利用される。

たんぱく質は瞬間的なエネルギーを出すときに使われる。例えば、自分に向かってくる自動車をよけるために急に体を動かすとか、重い荷物を動かすときはたんぱく質を利用する。

脂肪は、栄養分が供給されないときに備えて蓄えておく栄養分である。外部から栄養分が供給されない状態で長時間活動するときに有効である。例えば、長い距離を歩くときや、長時間自転車に乗ったりするときに利用される栄養分である。

ところが、食物があり余っていて活動量も少ない現代の人々にとって、脂肪は肥満の象徴として頭痛の種になっている。

このような脂肪を効率的に燃やすためには、少しの量を何回にも分けて食べなければならない。

私は今まで、食事を抜いてきれいで健康的な体型になったという人を見たことがない。

先ほども述べたが、食事を抜くやいなや体は防御体制をとるのである。

どんなに強い意志の持ち主でも、何万年もかけて形成されてきた本能を克服することはできない。すなわち、本能と争っても絶対に勝ち目はないということである。

しかし、活動するためのエネルギーを作り出すのに必要最低限の栄養分だけを供給したとしても、脂肪は減らないのだ。

したがって、本能が目覚めない最低限の量を食べ、その量を少しずつ減らしていかなければダイエットにはならない。

毎日決まった時間に良質の食事をとれば、体は栄養分を蓄える必要がなくなる。

このときに活動量が増えれば、すでに体に蓄えられている栄養分を活用してエネルギーを作り出すのである。

こうして少しずつ、きちんと食べる習慣をつけると、私たちが持っている動物的本能を抑えられるようになる。これは、私たちの体が、不安定な環境でも生き残れるように進化した結果である。

つまり、無条件に食事を抜くという極端な方法でダイエットをすると、体は動物的本能を発揮して使用するエネルギーを最小限におさえ、蓄えを増やすようになってしまう。

食事を抜けば抜くほど、太っていくという悪循環の理由がここにあることを、絶対に忘れないようにしよう。

巻末に私の普段の食事メニューを掲載しているので、ぜひ参考にしてほしい。

Rule 02

第2原則

筋肉痛を歓迎しなさい

＊エクササイズの仕方を間違えたのかな？

「明日体が痛くてもサボらずに必ず来ないとだめよ！」

初日にバーベル上げをして帰る私の背中に向かってスンヒが声をかけた。

あちこちずきずきとする体に閉口しながらも、運動らしい運動をしたという気分にうきうきとしていた私は、大きくうなずきながら答えた。

「当然でしょ！」

しかし、次の日になると、体を動かすなんてとんでもない、という状態になっていた。

「ああ、あなた、ちょっと起こして」

朝目を覚ました私は、うんうんうなりながら夫を呼んだ。

胸の上の部分と腕にひどい筋肉痛を感じていた。

けだるい感じというだけでは説明にならない状態で、起き上がるのは不可能ではないかというくらい痛みがひどかった。さらに、息をするたびにびりびりと感じる胸の痛みもまた、どんなにひどかったことか……。

私はスンヒに電話をかけた。

「スンヒ、私よ。今日はジムに行けないわ」

「どうして」

「昨日、エクササイズのやり方を間違えたみたい……。とても動けそうにないわ」

私の訴えに、スンヒは突然声を荒げた。

「昨日、体が痛くなるだろうって言ったでしょ。そのくらいの覚悟をしていなかったの。早く出てきなさい」

私は、体の痛みをまったく理解してくれないスンヒにさびしい思いがした。

私はジムに行かないことにした。行ったとしても体がこんなに痛いので、バーベルのようなものは持ち上げられないだろうと思ったのだ。

ところが、しばらくして突然玄関のベルがけたたましく鳴ったかと思うと、スンヒが家の中に入り込んできた。

私をジムに連れて行こうというのだ。

私は義母を言い訳にしようとしたが、義母がジムをサボろうとする私の味方になってくれるはずもなかった。

「うちのお嫁さんにひどく当たらないでくださいね」

義母はにっこりと笑いながら、私をスンヒに引き渡した。

「最初の何日かは、このように体が痛むんです。でも、病気ではありません。ご心配なさらなくても大丈夫です。これからもジムに行こうとしなかったらしかってやってくださいね」

スンヒは義母の言葉に調子を合わせてこう言うと、私を連れ出した。

2日目は、有酸素運動が必要だということで、ランニングマシンで早歩きを行った。

有酸素運動はいつもやっていたが、昨日の運動のせいか、歩いているだけでも腕と胸が痛かった。

「今日は、もう少し強度を上げてやってみましょう」

スンヒはそう言うと、速度をもう一段階上げた。今までやっていた軽い運動とはまったく違った。私は速度について歩くのに必死で、腕と胸の痛みを感じる暇もなかった。

有酸素運動にもさまざまなものがあります。ウォーキング、サイクリング、ダンスなど、自分に合ったものをやってみましょう！

全身からは汗が滝のように流れ出し、確実に今までの有酸素運動とは比べものにならなかった。

次の日になると、太ももの内側がひどく痛んだ。ろくに物を持ち上げることもできない腕、息をするたびに顔をしかめさせる胸の筋肉、歩くのも苦痛な太ももまで、全身に痛みのない場所はどこにもなかった。

しかし、スンヒは見逃してくれなかった。

その次は下半身運動だったが、張って痛みのある太ももで座ったり立ち上がったりを数十回すると、顔がくしゃくしゃにゆがんだ。

「スンヒ、私これ以上もうできない。とても痛いの」

「我慢してやりなさい。今は筋肉が損傷しているから痛いの。だけど、すぐに修復されるから心配することはないわ。私を信じて」

スンヒは笑いながら言ったが、私の目には、スンヒが憎たらしく見えて仕方がなかった。

そのとき感じた不安と恐怖は、今でも記憶に残っている。

「本当に大丈夫かしら。スンヒは医者でもないのに……。こんなことを続けて、体が完全におかしくなることはないのかしら。腰痛もようやく良くなったというのに……」

腰痛で長い期間苦しんできた私の心配は並大抵のものではなかった。

しかし一方では、スンヒのすばらしいスタイルを見ながら、信じたい気持ちもあった。

「韓国チャンピオンにまでなったボディービルダーなのだから、私をだめにするはずがないわ。

よし、信じてみよう」

私は、スンヒが命じるままに一生懸命エクササイズした。

スンヒは、私が何を考えていようが関係ないという表情で、容赦なく訓練した。普段は優しい友達だったが、訓練と言うべきエクササイズの時間だけは、教官のように厳しく私に接した。

＊筋肉痛を楽しもう

最初は、私に対して何か気に食わないことでもあるのではないかと疑念を抱くほど冷酷に見えたが、最初の３ヶ月間、意志を持たずにエクササイズをしていた私を支えてくれたのは、まさにスンヒの意志であった。

10日間体を酷使すると、筋肉痛がなくなり、体が緊張している気分を感じるようになった。スタイルが変わることはなかったが、すぐに変わるだろうという自信が持てるようになった。もしそのとき私が筋肉痛におびえてエクササイズをやめていたとしたら、スンヒを信じることができなかったとしたら、今の私は果たしていただろうか。

しかし、残念なこともある。そのとき私が、どうして筋肉痛を起こすのかきちんと勉強していれば、ジムの原理をもう少しよく理解し、もう少し喜んで筋肉痛を受け入れることができたのに。もしそうだったら、それだけ早く、今のような健康な体を手にしていただろう。

ジムに行くと有酸素運動ばかりしたり、マシンを使ったとしても「これは何分、あれは何分」というように、適当に時間をつぶして家に帰る人も多い。ダンベルを持ち上げても、疲れるとすぐにいそいそとベルトマッサージをしに走っていく。筋肉痛になるのは、間違ったエクササイズをしたという信号なのだとでも考えているかのように。

しかし、きちんとエクササイズすれば、きれいにしようとする部位が痛くなるものだ。痛くならないのならば、姿勢が間違っているのか、回数をもう少し増やしてもいいというサインだと考えればよい。

疲れはエクササイズがきちんとできているから生じるのだという事実に気づけば、筋肉痛を楽しむことができるだろう。

これ以上重量を上げることはできないと感じれば、そこが限界点である。

私たちの筋肉には、支えられる力の限界がある。この限界を超えると、筋肉細胞が損傷する。筋肉を繊維に考えると、しっかりと結ばれている繊維組織がたるんだり、強い力がかかり切れてしまうということである。丈夫な筋肉に傷ができれば、当然筋肉痛が起きるのだ。

筋肉痛が起きたときは、たんぱく質を補いながら少し休憩を取らなければならない。

たんぱく質は、筋肉を構成する最も重要な栄養分なので、損傷した筋肉を回復させ、筋肉の量を増やすためにはたんぱく質を補うことが重要である。

卵の白身や鶏の胸肉などに、良質のたんぱく質が多く含まれている。

そして、たんぱく質を補うことと同じくらい大切なことは休憩である。

ある人は、胸の筋肉をつけたいと言って、毎日胸のエクササイズばかりしていたが、それはむしろ筋肉にとって良くないことである。筋肉が回復する時間を十分に与えなければならないのだ。

部位ごとに違いはあるが、筋肉が回復するのに必要な時間は、だいたい72時間である。

この時間に私たちの体は、元の状態に戻るために一生懸命筋肉組織を再生する。

そうして復旧した筋肉で再びエクササイズをすれば、同じ部分がまた損傷し、体は再び復旧を行う。筋肉は、こうして損傷と回復を繰り返しながら鍛えられていくのである。

筋肉が回復するのを感じたいのであれば、少し時間がたってから、自分の限界点にもう一度挑戦してみよう。きっと前回よりも楽に感じられることだろう。

こうして私たちの限界点は少しずつ高くなっていくのである。

筋肉痛は、もう少し強い筋肉を作るための第一関門だということが理解できれば、筋肉痛がこれ以上エクササイズすることができないというサインではないことを理解できるだろう。

本当に健康な体になりたいのであれば、筋肉痛を楽しもう。自分がきちんとエクササイズできているのかどうか知りたければ、今エクササイズしている部位が痛いかどうか確認してみよう。

Advice 1

途中であきらめてしまう人たちが陥りやすい5つの落とし穴

01. 明日から一生懸命やろう!

今日やるべきことを明日に延ばすのはやめよう! 明日からではなく、今すぐ始めよう!

02. エクササイズをするのだから、いつもよりたくさん食べてもいいでしょう?

体脂肪を減らすのが目的なら、エクササイズよりも食習慣が重要だということを肝に銘じておくこと!

03. 今日も体重はそのまま変わらないなあ

焦るのは禁物! 一生続けるんだと思い、エクササイズを生活の一部に設定しよう!

04. 果たして体脂肪は減るのだろうか

エクササイズは正直だ! 大昔から変わらない真理!

05. はっきりと効果を感じるためには最初から食事を抜かなくちゃ!

めっそうもないお言葉! 食事を抜いてエクササイズをすれば、体脂肪だけでなく筋肉も落ちるという事実を肝に銘じておくこと!

Rule 03

第3原則

人目を気にしない

＊女のくせにバーベルを上げるの

あるおじいさんが、すでに2回私の周りを回っている。

1回目は見て見ないふりをしたが、2回目はあからさまに気に入らなさそうな顔で私を睨《にら》んだ。

私は限界点に近づき、顔はゆがんでいるのに、おじいさんのせいで、集中できない。

私は目を大きく開け、目の前にある鏡の中の自分をじっと見ながら心の中でこうつぶやいた。

「気にしないで。あの人が私の代わりに限界を乗り越えてくれるわけじゃないんだから」

3周目。おじいさんは舌打ちまでしながら私の周りをウロウロしている。

しかし、そうやって自分で自分の時間を無駄にしているのだ。

「おじいさん、そうしたって無駄よ、私はあきらめないから」

バーベルの重さで実際に笑うことはできなかったが、私は心の中で笑っていた。

ウェイトトレーニングを始めたときもそうだったが、今になっても私には絶えず抱えている問題が一つある。それは、他人の目である。

「ちょっとあの女見てみろよ。太もも、お腹、二の腕……すごいな」

ウェイトトレーニングのマシンを使い始めたとき、鏡の前の自分の目にはっきりと飛び込んでくるぜい肉を見ながら、そう思われているのではないかと萎縮していた。そして、スリムになると人目は気にならなくなると思っていたが、今の体型になってからのほうが露骨に私の体を見つめるようになった。

「女のくせにバーベルを上げるの」

「運動しなくてもよさそうなのに、何でジムに来るんだ。しかも、あんなぴたっとした服装で」

もちろん、私の体型がうらやましいと言ってエクササイズのやり方を聞きに来る人もいるが、そういう人よりも色眼鏡で見る人のほうがはるかに多い。

正直言って、太っていたときよりもっと厳しい視線を感じることが多くなった。

約6年間、鍛えるだけ鍛えてきた私であるが、やはり心は傷ついてしまう。

しかし、健康になるためには、そういう視線に負けない気持ちが必要である。

私が言うとあまりにも当たり前のように聞こえてしまい、説得力がないかもしれないが、そういった視線に負けないこと、そして部屋の中でごろごろしていたいという誘惑、面白いテレビ番組を見たいという誘惑、家事がまだ終わっていないという心配、さらに子供についての心配など、そういったもろもろのことに負けずに作った時間、そうして行ったエクササイズの積み重ねが、自分の人生を変えるためのチャンスであることを知ってもらいたい。

＊自分の体は自分でデザインする

毎日毎日家事に追われていた私にとって、エクササイズの時間は本当に貴重な時間だった。家族に申し訳ない気持ちがあったため、人目を意識して時間を無駄にしたくなかった。エクササイズをする時間だけが自分のための時間だった。

子供たちが大きくなると、少し時間の余裕ができる。その時間を、ある人は昼寝をしたり、またある人は電話でのおしゃべりにあてる。しかし、健康になりたいと思うのなら、自分のための時間をもう少し大切にする必要がある。

私がタイトなトレーニング服にこだわる理由も、そういった考えの延長線上にある。エクササイズ中の自分の筋肉が動いているのを確認するのに、最適な服装なのだ。この間まで凸凹だったウエスト回りが少し引き締まってきているのを見ると、どれだけやる気がわくことか。

「他人が私の体を作ってくれたりはしない。自分の体は自分で作るもの。そして健康になった自分を喜べるのは自分だけなのだ」

実際、ほとんどの人は他人の姿に関心がない。けれども、私のような小心者で内向的な人間、とりわけ、家の中で家族とだけ接している主婦たちは、他人の何気ない視線にも気持ちが揺れてしまうのが実際だ。しかし、そのたびに自分を励ましていかなければならない。もし、人目が気になるのなら、私のように考えてほしい。自分以外の誰も自分の健康を作ることはできないと。

Advice 2

エクササイズを継続するための7ケ条

01. ネット上のフィットネス同好会などに加入し、さまざまな運動情報を得たり、仲間を増やそう！

02. 体に良い食べ物と悪い食べ物を区別して食べよう！

03. エクササイズを一日の中で一番重要なスケジュールに設定しよう！

04. エクササイズ中、約束ができないように、あらかじめ周りの人にその時間を知らせておこう！

05. 体重計の数値でスタイルを判断しないで、鏡を見て判断しよう！

06. 目標のスタイルになったときに着たい服を前もって買っておこう！

07. 現在の自分を撮影し、随時見てみよう！

Rule 04

第4原則 体重に執着するな

＊見た目が細ければ問題ないの？

「身長と体重はどのくらいですか」

「身長は163センチで体重は49キロです」

「え、思ったより重いんですね。サイズは……」

「サイズは私もよく分からないんです。朝と夜とでは違うから」

私の体のサイズを尋ねる人たちは、私がサイズを気にしていないことを、そして体重が思ったより重いのを、意外に思うようだ。

ほかの人の目には、私は46キロくらいにしか見えないようだ。実際、今の体重は独身のときよりも重い。最も太っていたときの体重から減らした体重は、20キロにもならない。肥満の人にとって20キロくらいの減量は一般的な数値である。
4、5キロ程度やせればすてきなスタイルになる人たちは、最初から普通の体型の持ち主だと思えばよい。

大部分の肥満体型の人、特に私のように産後肥満になった女性は、少なくとも10キロから20キロくらい体重を落とさなければならない。体重の数値の変化だけで、ダイエットが成功したというのなら、その程度の成功を味わったことのある人たちを探すことはそれほど難しいことではない。

しかし、〝ダイエット〟と〝健康な体を作ること〟はまったく違う。

単純に食事を抜いてダイエットをすることで何キロかやせた人がいるとすれば、その人の戦いはそのときから始まるのだと言いたい。多くの人たちが、そのようなダイエットの失敗で、元の体重よりさらに10キロ以上増えてしまうこともあるからである。

私の考えでは、エクササイズをしないでダイエットをした人と、エクササイズをしてダイエットをした人が、同じく20キロ減量したとしても、その体は同じ体であるはずがないと思う。もともとやせている人とももまったく違う。

独身時代、私はエクササイズすることを考えたことがなかった。体重は48キロくらいに一定しており、ファッションにも関心が高く、きれいだと言ってくれる人もたくさんいた。

周りには、やせると言って一生懸命エクササイズをしたり、ダイエットをしたりしている友達がいたが、私は肥満とは縁がないと思っていた。

しかし、そのときの私の体を思い浮かべてみると、情けないことこの上ない。腕や足に力はなく、ぜい肉は触ってみるとぷよぷよしていて、やせているのにぜい肉は揺れるほどあった。

実際、独身時代の私の姿が、私の人生で最高のスタイルだと思っていた。ぷよぷよとしたぜい肉がついているのが女性らしい体つきなのだと思い、腕や足に力がないのはか弱いのだと思い込んでいた。

しかし今、私が新聞や雑誌に写真で載っている女性の体を見ると、残念に思うことがよくある。エクササイズなどしたことのないきゃしゃでか弱く見える体に、ありとあらゆるおめかしをさせて、最高の美人であるように美辞麗句を述べているからである。私は、モデルのような体の持ち主だとしてもエクササイズをしないのならば、砂の上に建てた家と変わらないと信じている。

さまざまなマスメディアでは、やせこけたスタイルを理想的であるかのように見せ、すらりとした女性は、エクササイズは面倒くさくてできないと平気で言う。

しかし、腕や足に力がない、か弱い人が本当にきれいだと言えるだろうか。あらゆることが面倒くさくて、病気にばかりかかっていたとしてもやせてさえいればいいのか。

やせていようが太っていようが、私たちの体は早くエクササイズを始めろという信号を送り続けている。男性の場合お腹が出て体を動かすのが億劫《おっくう》になってくると、健康に問題が生じ始める。

女性の場合はもう少し複雑である。若い女性の中にも、手足がしびれると言って病院に行く人が多い。血の巡りが悪くなっているのが原因らしい。そして体重増加によって、ひざと腰の痛みを訴える人も多い。

また、姿勢が曲がっていることに気づいてない人もいるようだが、深刻な症状だと脊椎側彎症《せきついそくわんしょう》などが考えられ、これも終日ほとんど動かない仕事をしている人たちに起こりやすい症状である。

体にこのような信号があらわれ始めたなら、すぐにエクササイズを始めなければならない。万が一脊椎側彎症がひどいのならば、エクササイズを始める前に病院で脊椎を矯正してもらわなければならない。

エクササイズを始めなければならないという兆候は、精神的な面からもあらわれてくる。

自分自身が好きになれなかったり、自分に自信がなくなったりしたとき、最も簡単に憂うつな気持ちをなくすことができるものもまた、エクササイズなのである。

＊エクササイズをする喜び

エクササイズをするメリットの一つは、心が広くなることだ。

ジムでエクササイズのやり方がよく分からなければ、すてきなスタイルで一生懸命エクササイズをしている人に方法を聞くとよい。エクササイズをしている人は、その効果と喜びをよく知っているので、いつもほかの人とその効果と喜びを分かち合いたいと思っている。

このように、エクササイズをすれば自分の体が変化するだけでなく、精神的に自分自身を愛せるようになり、周りの人たちのことも愛せるようになるのだ。

もう一つのメリットは、エクササイズや体に関していろいろと学ぶことになるので、エクササイズが与えてくれる喜びや、続けることの必要性などについて早いうちに理解でき、一生健康に暮らせる可能性が高いことだ。

私の場合、エクササイズをやり始めたきっかけは腰痛だった。エクササイズをすることで少し体重が落ち、やせることにだけ執着し続ける可能性もあったが、幸いなことに活力にあふれている健康的なスタイルのスンヒに出会い、彼女を目標にしてエクササイズすることができた。

私の場合は、運が良かったとしか言いようがない。エクササイズの目的がやせることよりも、健康な体を手にするということ、つまり健康な体つきこそ、理想とするプロポーション、適度にやせていて適度なボリュームを持ち合わせた体型だということに気づけたからだ。

スンヒにエクササイズの基礎を教えてもらってから、次第に私は自分の理想とする体型を作るための独自のスタイルを編み出していった。

私は、独身時代のがりがりにやせたスタイルには戻りたくない。体に筋肉がついていなければ腕と足の力がなくなるだけでなく、疲れやすくなるのだ。重要なのは、バランスである。体重計が指す体重、巻尺で測るサイズはもう重要ではない。私にとって最も重要なことは、エクササイズを継続しながら自分の体にふさわしい体型を作っていくということなのである。

＊数字は何も語ってはくれない。私が望んでいる体は、鏡の中にある

私の家には体重計がない。

体の状態は鏡で判断すれば十分だと思っているので、私はできる限り体重を量らない。

ダイエットをしている人たちは、絶えず体重を量りサイズを確認するが、私はそのことこそがダイエットに失敗する原因だと考えている。

数字は何も語ってはくれない。体重が減ったと数字は教えてくれるかもしれないが、体の中の状態までは教えてくれない。筋肉が減ったことによる数字なのか、脂肪が減ったことによる数字なのかは分からないのだ。

サイズも同じである。理想的なプロポーションとして、B90―W56―H86などと数値を挙げても、その数値がどんな身長の人にも当てはまるかといえば、そうではないだろう。人それぞれに美しいサイズがあるのだ。

ジムでエクササイズをするときの服が、体にぴったりとしていて短いのは、動きやすいのと、体つきの変化が確認しやすいという理由がある。

そのような服装で全身鏡の前に立ち自分の体をじっくりと見ると、何日か前とは違った自分の体を観察することができる。思っていたより体重が多くても、焦る必要はまったくない。それは、単純に脂肪ではなく、体をしっかりと支えてくれて、たくさんのカロリーを消費する筋肉がついた証拠だからである。

自分が望む体は、体重計や巻尺の数値であらわされるものではなく、鏡の中にあるのだ。

Advice 3

ジムの120%活用法

01. ジムに初めて登録した日

すべてが気恥ずかしくて戸惑ってしまうものである。何をどうやって始めなければならないのか。最近はどこのジムでもトレーナーを置くことになっている。恥ずかしさから自己流でランニングマシンやウェイトトレーニングのマシンを使ったりせず、けがの予防も兼ねてマシンの使い方をどんどん聞こう。

02. 正しい姿勢を身につける

正しい姿勢はけがを防ぎ、一定の時間で最大限の効果を得ることができる。正しいエクササイズの仕方を知ればエクササイズの効果を何倍にも高めることができる。呼吸と関節の角度、エクササイズしたい部位に最大限の刺激が伝わる姿勢などをよく知っておこう。どのようなエクササイズでも同じことだが、ある程度の試行錯誤と適応する期間は必要となる。焦ったり欲張ったりしないで、エクササイズそれ自体を楽しもう。

第5原則 停滞期は必ず終わる

＊いくらやってもこれ以上やせない

「ああ、本当にやせない」

「私も。先月は4キロもやせたのに、今月は1ヶ月過ぎても1キロもやせないのよ。エクササイズをもっとやってもだめだし、食事をさらに抜いても同じなの。やっぱり私のぜい肉はしぶといみたい。何をしてもやせないなんて……」

ジムでよく聞かれる話の一つである。私のよく知らない会員であるが、私は彼女たちに言ってあげたいことがある。今は〝停滞期〟なのだと。

停滞期、それはダイエットをしている多くの人たちが経験する、何をしてもやせない時期のことを言う。停滞期という言葉が、ダイエットをしている人にとってなじみのある言葉になったのは、それほど昔のことではない。

「食べすぎているんじゃないかしら」

「今よりもっと走らないといけないみたいだわ。摂取しているカロリーより消費カロリーが少ないみたい」

このように思う人たちは、十中八九ダイエットをあきらめるようになる。やせない時期がかなり長いためストレスになるばかりか、過剰なエクササイズや食事を抜くことで自分の体を酷使すると、ある瞬間本能が爆発してしまうのだ。

「ああ、やっぱりだめ。きっとやせないわ」

人々はうんざりするこの時期を克服することができずに、ダイエットを放棄するようになる。

このとき、エクササイズだけでも続けていればいいのだが、エクササイズがやせるためだけの手段だった人は、エクササイズをつらいダイエットプログラムの一つとしか考えられずに、エクササイズをやめてしまう。

そして、その間のダイエットに対する腹いせであるかのようにたくさん食べる。

これが、すぐにリバウンドにつながってしまうのである。

これに対して、ダイエットに成功した人たちは、エクササイズを楽しんだ人や、とてもおおらかな性格の持ち主である。私は、おおらかな性格のほうだった。そして、進んで勉強をし、停滞期の特徴についてよく理解することができたことも大きな助けとなった。

最初に私を導いてくれたのはスンヒだった。スンヒに素直に従い、一生懸命エクササイズをしたことで、体が速いスピードで変化し始めた。

エクササイズを始めて2ヶ月が過ぎたころ、体の変化を感じるようになった。そして、そこからまた1ヶ月くらい過ぎると、体が丈夫になったのを感じることができた。夫や子供たちに体に大きな石が入っているみたいと言われたくらい、私の体の変化ははっきりと感じられた。

お腹や腰が日に日にやせていき、太ももと、垂れたお尻もいつの間にか私の望んでいたとおりの形に変わっていった。スンヒが命じるままに食べ、命じるままにエクササイズをした。

最初はスンヒの意志だったが、1ヶ月を過ぎたころからは、変化していく体に意気揚々とし、私のほうが一生懸命だった。

しかし、私にもすぐに停滞期が訪れた。エクササイズを始めて3ヶ月は順調に体重が減っていったが、4ヶ月目に危機に直面したのだ。

「あれ、おかしいな……」

ほぼ1ヶ月体重の変化がなく、筋肉も増えていっているような感じがしなかった。私は、何か大きな間違いをしているのではないかと思った。しかし、いくら考えてみても、何が間違っているのか分からなかった。

私は、相変わらずスンヒのプログラムどおりにエクササイズをしていた。

「やせるには、有酸素運動が最高だと言っていたけど、有酸素運動が少なすぎるのかしら」

私は自分なりに対策を考え、ランニングマシンで走る時間を増やしてみたりした。時間がないときは、ウェイトトレーニングを減らし有酸素運動に、より多くの時間を費やした。

ある日、スンヒがおかしいとでも言うように私に尋ねた。

「どうしてランニングばかりするの」

スンヒの言葉に、私は悩みを打ち明けた。やせることもなく、体も変化していないようだと。

スンヒは、大したことではないというように言った。

「それは停滞期だからよ。気にしないで普段どおりエクササイズをしなさい。有酸素運動ばかりしてやせたとしてもスタイルはきれいにならないわよ。いつもどおり気楽にやりなさい。これからは、体重計に乗るのは禁止よ!」

スンヒは軽い気持ちで言ったのだが、私はその言葉を聞いても気が楽にはならなかった。体重が永遠に減らないだろうと思っていたからである。

「何のためにエクササイズをして、食べたいものも我慢しているのかしら。このスタイルで健康だからといって何の意味があるの。おすもうさんになるわけでもないのに」

＊体が構造調整する時間

しかし、体の変化は必ず起こると思っているスンヒに、私の疑念をこれ以上は話せなかった。

私はダイエットに関する本を読みあさり、ダイエットに成功した人たちの体験談を一生懸命読んだ。しかし、スンヒの言葉どおり、もう体重を量ることはやめた。

「そうよ、健康が第一なんだから。腰も痛くないし、昔に比べたらずいぶんほっそりしたじゃない。力もついたし。スンヒが間違ったことを言うはずがないわ」

体重計に乗るのをやめると、不思議なことに気持ちにゆとりができ始めた。ひどいときにはエクササイズの前後や、朝夕とこまめに体重を量っていたが、そのときとは比べものにならないくらい気が楽になった。

そのようにして1ヶ月半ほど過ごしていたある日、鏡を見た私は、自分が変わったことに気がついた。

体が軽くなった感じもそうだったし、目に見える腕と足の形も若干ではあるが変わっていた。私はおよそ1ヶ月ぶりに、再び体重計に乗ってみた。すると、微動だにしなかった体重が、いつの間にか2キロも減っていたのだ。

「スンヒ、とうとう体重が減ったわ！」

私が大変なことが起きたとでもいうように言うと、スンヒはそうなることが分かっていたかのように笑った。そして、これからも停滞期が何度も訪れるだろうと言った。

スンヒの言葉どおり、その後も何度かの停滞期を経験した。しかし、停滞期が続けば続くほど気分は良くなった。停滞期があるということは、体が変化した自分を認め始めたというあらわれだからである。

私たちの体は、いつも現在の状態を維持しようとする性格を持っている。現在の体重と体を構成している脂肪、筋肉などの状態が最高な状態であると体が認識しているのである。

そのような体の立場から考えると、やせることは危機であるといえる。

筋肉痛が起きるのも体の立場から見ると変化であるので、それを止めろという信号なのである。

しかし、私たちは、この体の本能を克服してやせ、体の構造を再編成するために、食事療法を行いエクササイズをする。つまり、本能に逆らう行為をしているのである。

きちんとした食事療法とエクササイズをすれば、体重が減り、体についていた脂肪の代わりに筋肉を増やしていく。しかし、ある瞬間になると、体はそのすべての活動をやめて、現在の状態が自分の体の最高の状態と認識するようにプログラムする期間を必要とする。

これが停滞期の正体である。それまで一生懸命エクササイズをして食事療法を行って手にした体重と体の構造を、体が認定する時期なのである。

したがって、私たちは停滞期を喜んで受け入れなければならないのである。

ダイエットに成功した人たちの体重が、折れ線グラフを描きながら減っている理由がここにある。つまり、停滞期がくれば、それまでのダイエットやエクササイズが成功したと喜んでいいのだ。停滞期が終われば、体重を再び必ず落とすことができる。

もちろん、筋肉も少しずつ増えていき、スタイルもきれいになる。

Advice 4

エクササイズを生活の一部に取り入れるための7ケ条

01. エクササイズをする時間を、人生における最も大切な時間だと考える

エクササイズをする時間は、食事や睡眠と同様に大切な時間である

02. 体と食事に関する情報を手に入れるために努力する

インターネットは、有益な情報を手に入れることのできるすばらしい情報源である

03. やせるためではなく、健康的な人生を送るためにエクササイズをする

健康になれば、ぜい肉は自然と落ちる。最優先させるべき目的は、健康である

04. エクササイズを楽しむ

すべてのエクササイズは楽しい。ウェイトトレーニングをするときの苦痛も楽しみの一つとして受け入れる

05. 適度な量を食べる食習慣を身につける

肥満は、たくさん食べて少ししか動かないことから生じる現象である

06. ストレスを感じたらエクササイズで汗と一緒にストレスも吹き飛ばそう

だからいつも明るく過ごそうと努力する

07. 自分を愛する。愛する自分のためにエクササイズをする

自分自身を愛せなければ他人を愛することはできない

Rule 06

第6原則

正しい姿勢からエクササイズは始まる

＊夫の「10年エクササイズ」の結果

いつからか、私は夜なかなか寝つくことができなくなった。

夫のいびきのせいだった。

以前はいびきをかかない人だったのに、どうして突然いびきをかき始めたのか。

寝つけずにじっといびきを聞いていると、夫は息が詰まったかのように大きないびきとともにくしゃみのように息を吐き出しては再び眠った。

私は、睡眠時無呼吸症で夫に大変なことが起きるかもしれないと思い、不安になった。

「太っているせいで突然いびきをかくのです。まだいびきをかき始めるようになってからそれほどたっていないので、危険ではありません。しかし、体重には注意したほうがいいですよ」

私に肩を押されて病院に行ってきた夫の表情は複雑だった。6年前、私に自己管理ができないと言ってからかっていたときとは正反対の状況になったからだ。

「なあ、俺もエクササイズをしていたのにどうしてこうなったんだろう」

テレビを見ていた夫は真剣な表情で聞いた。

私はダンベルとベンチを持ってくると、夫にエクササイズをしてみるようにと言った。

ところが、夫の姿勢はすべてめちゃくちゃだったのである。今までけがをしなかったことに安《あん》堵《ど》を感じるほどだった。

多くのスポーツドクターは、むやみにエクササイズを始めることは、エクササイズをしないことより悪い結果をもたらす恐れがあると言う。エクササイズは人為的に激しく体を動かすので、すべてのエクササイズには、体を保護するために守らなければならないルールがある。

しかし、これらのルールを、実際にエクササイズをしているという人でさえ知らない場合が多い。

私は夫にダンベルを持たせ、一つ一つの正しい動作を教えた。

夫は、長くエクササイズをしていただけに自分のこだわりを持っており、それをなかなか捨てることができなかった。

私はそんな夫を見ながら、動機づけがいかに重要なものであるか、改めて理解した。私だって、あれほどすてきなスタイルのスンヒのようなモデルがいなかったら、あんなにつらいエクササイズを、彼女に従って素直に行うことができただろうか。

私は夫を説得するために、これまで勉強していたビデオと本を持ってきて原理から順番に教えなければならなかった。

エクササイズのやり方を人に教えてもらうこと自体を恥ずかしく思う人もいれば、夫のようにプライドが傷つく人もいる。

しかし、そのような片意地を捨てないと、間違った姿勢を直す機会を失ってしまう。

「あなたが私より長くやってきたのは事実だけど、今健康なのは私じゃない。エクササイズには正しい姿勢が何よりも大切なのよ。じゃないと、とんでもないところにけがをしやすくなるの。それに、あなたみたいに大した効果もないのよ。とりあえず信じて」

夫はうなずき、私に言われるとおりエクササイズを行った。私は彼のそばから離れることができなかった。というのも、長い間に身についてしまった悪い姿勢のため、そばで見ていないとすぐに姿勢が崩れるからだった。

「おまえの言葉どおり本当に痛いな。こんなに痛いのはエクササイズをしていた10年間で初めてだ」

私が教えた次の日、夫は筋肉痛で顔をゆがめながらも、笑いながらこう言った。

エクササイズは正しい姿勢で行わないと効果がない

＊正しい姿勢、正しいやり方でしか結果は出ない

夫は、私からエクササイズを学んでちょうど2ヶ月で、9キロの減量という大成功を収めた。まるまるとしたおじさん体型だった体にも、なかなかの筋肉がつき始めた。

そんな夫を見ながら、やはり重要なのは正しい姿勢なのだと確信することができた。

正しいやり方を知らず、自己流のエクササイズをしていては絶対に健康的な体にはなれない。

初めてジムに行ったら、トレーナーを大いに有効活用しよう。満足できる効果を得るために、そしてけがを防ぐためにはトレーナーの助けが必要なのだ。

きちんとした正しい姿勢だけが、自分が望んでいる部分に筋肉をつけ、脂肪を燃焼してくれることを、片時も忘れてはいけない。

正しくない動作でマシンの重さだけをどんどん重くしていくと、けがをする危険性が高くなる。

正しい姿勢を身につけるまでは重さを上げてはいけない。

ジムに行くと、単に「重さ」にだけこだわる人をよく見かける。

特定の部位の筋肉を早くつけたいと欲張って、最初から重いものを持つ場合がある。

しかし、基本的な姿勢や正しいエクササイズの順序を無視すると、思いどおりの筋肉を作れないのはもちろんのこと、腰やひざなどの関節に深刻なけがをすることにもなる。

ウェイトトレーニングを初めてする人が、間違ったまま理解していることは一つや二つではな

い。最も危険なのが、重いバーベルを持ち上げながら息をするのを我慢することだ。この場合下手をすると血圧が急上昇し、心臓に負担を与えてしまうこともあるそうだ。

また、力を入れるばかりでまったく効果が得られない運動姿勢のうちの一つが、「反動」を利用することだ。ジムで腹筋運動をしている人によく見られる姿勢だが、お腹の筋肉をつけてすらっとさせたいのなら、きつくてもゆっくりとお腹の力で上半身を上げなければならない。

ジムでのウェイトトレーニングは、基本的に自分の筋肉を観察するエクササイズだと思う。ところが、慌ただしい性格の韓国人は、第一姿勢から第二姿勢へと移行していく、その何秒という時間をじれったいと感じるようだ。

すべてのストレッチやウェイトトレーニングは、最大限ゆっくりと体を動かしながら、体の変化を十分に感じなければならないのだが、大部分の人たちはすばやく終えてしまう。

私が20回1セットのトレーニングをする間に、3セットすべて終える人も多い。彼らは、私のように汗が流れることもなければ、顔をしかめることもない。

ゆっくり筋肉が損傷していくのを楽しめば、その時間は退屈なものではない。また、ゆっくりとエクササイズをすればするほど、運動効果が大きくなる。

正しい姿勢でエクササイズをすれば、苦しそうな表情になるのは当たり前だ。

健全な筋肉が裂けるというのに、他人の視線を気にするあまり、顔の表情を崩さないようにすることほどばからしいことはない。

私は、エクササイズをする過程と化粧をする過程は似ていると思う。アイライナーを塗るときは、目を大きく開けることができないのが当然で、マスカラを使うときは、口がばかみたいに開いてしまう場合もある。しかしながら、その過程がなくては、化粧は完成しないのである。

ファッションと言うと、洋服や靴、バッグなどを思い浮かべるが、太っていたことのある私の考えは違う。

ファッションとは体である。

正しい姿勢ときちんとデザインされた体がファッションの始まりであり、それどころかファッションのすべてであるとさえ言える。

しかし、何より姿勢が重要な理由は、何と言っても健康のためである。

ダンベルを持つ前に、正しい姿勢を知り、きちんとした順序を身につけなければならない。他人が何キロのダンベルを持っているかなど気にする必要はない。

退屈に感じたり焦ったりするだろうが、このようにしてしっかりと力を蓄えていくことが、すてきなスタイルを作る近道であることを忘れてはいけない。

Advice 5

エクササイズ初心者のためのQ＆A

Q1. エクササイズの1セットというのは、どれくらい？

A. 続けて一つのエクササイズを行う回数を、まとめて 1 セットという。例えば腹筋運動では、自分が設定した目標まで連続して 20 回行ったとすると、20 回が 1 セットになる。つまり 3 セットだと 60 回となる。2 セット目に移る前は 45 秒以内の休憩をはさむ。

Q2. 初めてエクササイズをする人にとって、適当な運動時間ってどのくらい？

A. さまざまな研究結果によると、有酸素運動の時間は 20 ～ 40 分程度が適当であるとされている。40 分以上継続して行うと筋肉が損傷し、返って代謝が悪くなるので要注意だ。食後に有酸素運動をする場合は一時的に体内にエネルギーが保存されているため、そのエネルギーを使用してから体脂肪燃焼となるので、20 分以上継続することが必要だ。また起床後の空腹時などは、一時的に保存されているエネルギーがないため 20 分程度で十分だ。
ウェイトトレーニングの場合でも、できれば短時間に集中して行うのが良い。セットとセットの間の休憩時間は 40 ～ 45 秒とし、種目が変わるときにも休憩時間が 1 分を過ぎないようにしよう。休憩時間が長いと効果が半減する。

Q3. エクササイズをするとき、呼吸がきちんとできないと運動効果は落ちるの？

A. 有酸素運動をするとき、呼吸は規則正しく行うのがよい。私は、鼻で息を２回吸い、口から２回吐き出す方法をとっている。長い間このようにしてきたので、呼吸は自然に行うことができる。有酸素運動を行うときは、各自自分にとって楽な呼吸法を見つけて、自然に行うのがよい。
ウェイトトレーニングの場合には、重力に逆らう力を加えるとき、息を吐き出すのが一般的な呼吸法である。

腹筋を例にとると、体を起こすとき、体が後ろに倒れようとする重力に逆らうのである。したがって、体を起こすとき、息を吐き出し、反対に体を倒すときには息を吸い込まなければならない。エクササイズ中に息を止めてしまわないよう気をつけよう。

Q4. エクササイズをした後はマッサージベルトをするほうがいいの？

A. マッサージベルトは、一時的に固まった筋肉をほぐすのに効果がある。しかしながら、それによって体脂肪が減る効果はない。

Q5. エクササイズはしたいけれど、必ずジムに行かなければならないの？

A. そのようなことはない。この本では、ジムに行かなくともエクササイズができる方法を記した。エクササイズで最も重要なことは、やろうとする意志である。意志さえあれば、家でもフィットネスプログラムを行うことができる。

Q6. エクササイズ後に水を飲みすぎるとよくないの？

A. 食欲を感じるのは、私たちの体に栄養分が不足しているということを意味する。

同じように、のどの渇きは水分を供給しろという体からの信号である。私たちの体は70パーセント以上が水で構成されている。私たちの体は、いつも水分を一定に維持しなければならないので、水分が不足すると脱水状態になり、消化機能と脂肪代謝能力が低下する。

また、筋肉は脂肪よりもかなり多くの水分で構成されている。脂肪には、水分が25パーセント以下しかないのに比べ、筋肉は70パーセント以上が水分である。つまり、筋肉発達のためには水分摂取は必須である。

のどの渇きを感じたときは、必ず水を摂取しなければならない。水は、空腹感をなくす働きがあるので、食欲を抑制するのにもとてもよい。

Q7. エクササイズは毎日しなければならないの？ 1日でも休むと、それまでの効果はなくなる？

A. エクササイズをするのも重要だが、休むのもまた重要である。私が提案した9週間のプログラム（Chapter2、3参照）は、毎週日曜日に休息を取るようになっている。そして、一つの部位のエクササイズをした後には、72時間はその部位のエクササイズをしないように構成されている。どうしてもその日エクササイズができなかったからといって自分を責める必要はない。その日はエクササイズについては考えず、次回予定していたエクササイズをすればよい。

Q8. ウェイトトレーニングをして、腕に男性のような筋肉がついたらどうしよう

A. 肩幅がさらに広くなったり、体がもっと大きく見えたら嫌なんだけど……女性の多くが勘違いしている部分である。
まったく同じ強さでウェイトトレーニングをしても、女性は男性に比べて50パーセント程度の効果しか得ることができない。これは、女性ホルモンの影響だという。

あなたがいくら一生懸命エクササイズをしても、ボディービルダーの体のようになるのは簡単なことではない。女性ボディービルダーのような筋肉質な体型になるには、超人的な忍耐と努力が必要である。

Rule 07

第7原則

運動中毒者になれ

＊私はそんなに強い意志の持ち主じゃない

すでに言ったとおり、私が本格的にエクササイズを始めたのは、スンヒに会ってからだ。スンヒに厳しく教わったが、それは訓練と表現してもいいくらい厳しい内容だった。こう言うと、人は尊敬するような目で私を見ながら言う。

「やっぱりすごい意志ですね。私にはそんな強い意志がなくて……」

もちろん意志の力は、健康な体を守るためにはなくてはならないものである。

しかし、すでに述べたとおり、私は平凡な主婦だったから自分の意志とは関係なく、家のことでエクササイズを休まざるを得ないときもたくさんあった。もちろん面倒くさくて、または風邪をひいたからと言い訳して何日も休むことも日常茶飯事だった。

この6年間、エクササイズの計画をどれほど守ってきたかと聞かれたら、50パーセントくらいとしか言えない。矛盾しているかもしれないが、私が健康な体を作るのに成功したわけは、強い意志のもとエクササイズをするぞ、と誓ったからではない。

私にとってエクササイズは生活である。人が生きるために必要なのは衣食住だとすると、現代人にはそこにエクササイズが追加されなければならないと思う。

私がエクササイズを続けられたのは、エクササイズについてそういった認識があったからである。そして、義母や夫の圧力も大変役に立った。「やっぱり思ったとおり……」と言われないように、無理やり玄関を出るときも多くあった。

また、私の場合ラッキーだったのは理想の体型の持ち主が常にそばにいてくれたことだ。あまりにつらくてやめたいと思ったときも、すてきな体型の持ち主が一緒にやろうと言うので、やらざるを得なかったのだ。

「魔の3ヶ月」という、最初の3ヶ月を無事に終えることができたのは、憧《あこが》れの体型の持ち主スンヒが目の前にいたからだった。

最初から強い意志なんて誰も持ち合わせていない。

強い意志を持つためには、目標を持つことが何よりも大切だ。どんなものでもかまわないが、落ち込んだときに原点に戻る力を与えてくれるものを用意しておこう。

格好いい芸能人の姿や、健康を失ってつらかった過去の経験、または健康ですてきな体を手にした自分の姿を想像してみてもよい。

時間があればエクササイズをしようと思ったり、エクササイズはやりたいときにやればいいと思ったりしている人が成功する確率は、最初から0パーセントに近い。

毎日自分をコントロールしていくうちに、いつの間にかエクササイズが生活の一部になっていくのだ。

＊エクササイズは生活である

初めてバーベルやマシンを使う人は、その使い方に悩んだり、つらく思ったりするかもしれない。そして、その後あらわれる筋肉痛は、エクササイズをすぐにやめたいという気にさせる。しかし、原理を分かってさえいれば、これらすべてが変化の兆しであることが分かり、むしろ嬉しくなる。

正しい運動法を身につけて継続すると、体型が変化していくのが分かり、次第にエクササイズが楽しくなる。

毎回、限界を超えるウェイトトレーニングを行うと、体つきがきれいになるだけでなく肌もきれいになる。ウェイトトレーニングを続けると、肌の組織に弾力がついていくのを感じるようになる。有酸素運動だけや食事制限をしてやせた体とは比べものにならない。

同じく10キロ減量したといっても、ウェイトトレーニングでやせた人の肌はたるみがなく弾力がある。血液循環が良くなり、肌の隅々にまで栄養が行き渡るため、肌が滑らかで若くなる。

これらすべてが、正しい姿勢でエクササイズを続けたことによって得られる贈り物なのだ。

健康できれいな体を作るには、食べることも必須の要素である。前にも言及したように、重要なのは食べることを我慢するのではなく、必要なものをいつどれくらい食べるのかである。

私はエクササイズを始めてから、体に良くないインスタント食品を避けるようになった。体に悪いものを口にしたくないということもあったが、エクササイズして体が最高の状態に近くなればなるほど、インスタント食品が口に合わなくなったのだ。

筋肉の苦痛、激しい呼吸、鉄との戦い……ウェイトトレーニングは楽しい！

健康になると、食べ物をわざわざ選別して食べようと努力しなくてもいいことが分かった。体が欲しがるものが、まさに私が食べたいものになったからだ。

私にとって、きれいでスリムになることは健康になることと同じ意味を持つ。健康を得るためにはきちんと食事をし、正しくエクササイズをし、いつも意志を引き締めなければならない。簡単でありながら難しいことである。

重要なのは、自分がどんな選択をするかだ。つまり、自分を変化させ春を迎えるのか、それともいろいろな言い訳をしながら秋と冬の間でさまようか。

そんなに長く、または難しく考えないようにしよう。もうすぐ訪れてくる春の輝きを考えながら1日、1週間、1ヶ月間、そして2ヶ月間続けてみるのだ。そうしていくうちに、エクササイズしなくてはいられない自分を発見するようになるだろう。

Advice 6

エクササイズを続けることの7つのメリット

01. 血の巡りが良くなり、熟睡できるため肌につやが出る
02. 活気があって生き生きした毎日が送れる
03. 血圧が正常になり、さまざまな成人病の予防になる
04. 肺活量が増加して呼吸機能が良くなる
05. 骨が強くなるため、骨粗しょう症を予防する
06. すべてのことに自信がつき、対人関係が円滑になる
07. 体重が減り、肥満を予防できる

付録

チョン・ダヨンの モムチャンになるための 食事メニュー

モムチャンダイエットでは食事に気を配ることも重要だ。
いくらエクササイズをしているからといって食べすぎてはダイエット効果はない。
ただし、食事を抜くのはもってのほか。
適量を適度に食するのが重要だ。
ここでは、食事抜きダイエットの危険性や、
私の普段の食事メニュー、おすすめレシピなどを紹介する。

どうしてダイエットは食事制限だけではだめなの？

ダイエット＝食事制限と考える人が多いようですが、食事を抜くことによって得られる結果は悲惨です。

食事を抜けば、確かに体重は減ります。では、体の中の「何」が減ったのでしょう？

大部分の人が、食事を減らせば「脂肪」が減ると思っているようですが、これは大きな間違いです。

まず減るのは「筋肉」なのです。

筋肉は脂肪より重いため、体重は一見がくんと落ちたように見えます。では、どうして筋肉から減っていくのでしょう？

脂肪は我々の体にとっては、非常用です。

つまり、体は脂肪を生命の危機にさらされるギリギリのところまで取っておこうとして、まずは筋肉を切り崩していくのです。

そして、筋肉を切り崩している状態の体は「飢餓状態」に陥っています。飢餓状態の体は、今度は少しでも食料が入ってくれば取り逃がさないよう「脂肪」として蓄えようとするのです。また、脳は食欲中枢を最大限に刺激して、今度いつ入ってくるか分からない食料を、蓄えられるだけ蓄えさせようとする、いわゆる「異常食欲」状態となるのです。食べても食べても満足感が得られず、そしてそれらのほとんどが「脂肪」として蓄えられるのです。

もう一つ怖いのが、飢餓状態の体はできるだけエネルギーを使わなくても済むよう活動を抑制することです。つまり、基礎代謝が落ち、余計にやせにくい体質となるのです。

食事を抜いて目標の数値に達したとしても、その後の異常食欲や動きたくないという無気力感に襲われるのは、自分の意志ではどうにもならない、本能のなせる業であり、抵抗できなくて当然なのです。

キャアアアア!
こ…このままじゃ
ヤバイわっ…
メラメラ
決めた!! 私、今日から
ダイエットするっ
私、A子
フツーのOL
やってます
ドサ
ドサ
お菓子と
決別っ!!
どうせやるなら
食事も抜かなきゃ
今日から朝は
水オンリー!!
今までは・・・
グビーっ
モデルや女優は
朝水を飲むって
言ってたし…
今まで間食してたけど、
それも封印!
でも
お腹減って
集中でき
ない〜
ボ〜
ぐ

A子ー ランチ行こ～
ゴメーン今ダイエット中…
えー〜〜
ちょっとさみしい… ケド、絶対今度こそやせたいしっ
じゃ 行ってくるねーー
はー疲れたぁ
ガチャッ
ビールと おつまみと 美味しいゴハン…
…ああ ダイエット中 だったっけ
もう寝よ…
ドサッ
ダイエットのためにこうした日々を根性で続けて
1週間――

ゲッソリ
……
や…やせた
確かに
なんかバランス悪い気がするケド……
目標の体重もクリアしたしっ…
そう!! これからは自由の身
食べ物解禁日よねっ!!
ドーン
ガツ
ガツ
ガツ

どうしよう!! 止まらない この食欲〜
…私って
うわ〜〜ん!
カラッ
何て意志が弱いのーっ
あなたは意志が弱いんじゃないのよ そういう状態になるのは本能のせいよ
だ…だれっ?
食事制限のダイエットで怖いのはその後の異常食欲
鏡をよく見て
え?

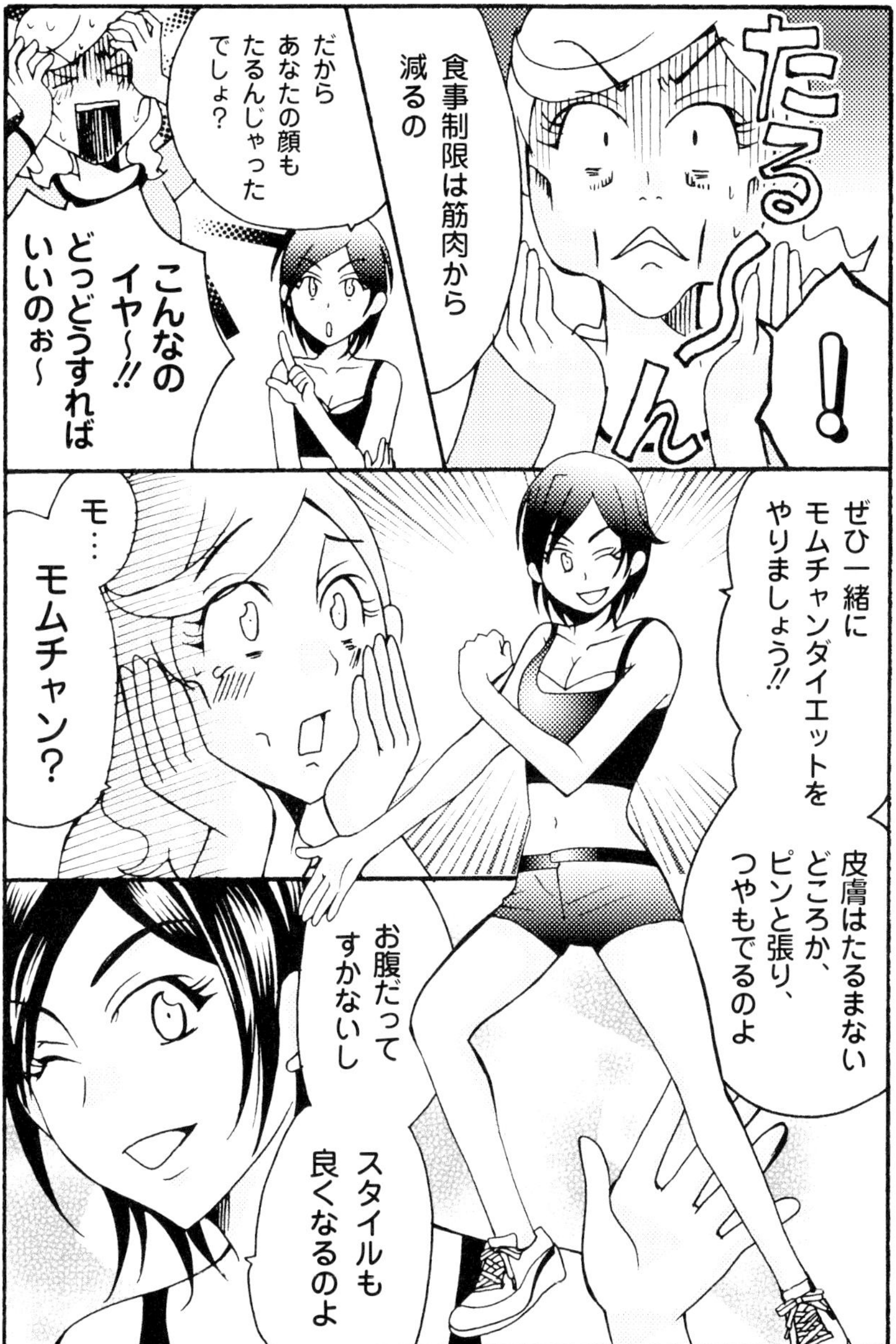
たる～ん
!
食事制限は筋肉から減るの
だからあなたの顔もたるんじゃったでしょ?
こんなのイヤ～!! どっどうすればいいのぉ～
ぜひ一緒にモムチャンダイエットをやりましょう!!
モ…モムチャン?
皮膚はたるまないどころか、ピンと張り、つやもでるのよ
お腹だってすかないし
スタイルも良くなるのよ

じゃあ、モムチャンダイエットは食事制限なしなの？

モムチャンダイエットでももちろん食事制限はあります。けれども決して食事は抜きません。

モムチャンダイエットを始めたばかりの人が陥りやすいのは、これだけ体を動かしているのだから、普段より多く食べていいだろうと思うことです。

これでは、絶対にダイエットになりません。まずは普段食べている量がどれくらいか、把握してみましょう。

これから20キロ、30キロとやせなければならない人は、今まで食べていた量を調節し、さらに1日3回ではなく、1日6回に小分けにして食べるようにしましょう。

3～4キロの調節で済む人は、普段の食事の量を1日6回に分けて食べるようにしましょう。

この目的は、体を「飢餓状態」にさせないことです。

私は普段、空腹を感じたときには、ツナのジャーキーを食べるようにしています。ツナのジャーキーといってもいろいろありますが、私が食べているのは南太平洋のフィジーアイランドで捕れたマグロに、一切の味付けや添加物を加えず、天日干しで作られたものです。

これならたんぱく質も一緒に摂取できるので、私のお気に入りです。

私の普段の6回分の食事内容ですが、3回の食事に3回の間食で、間食は持ち運びやすいものにしています。これなら働いている人でも続けやすいのではないでしょうか。

次のページから、私の普段の食事について掲載しています。ぜひ参考にしてください。

Jung Dayeon's one day menu

チョン・ダヨンの1日の食事メニュー

1日6回に分けて食事をとるため、胃に負担がかからない。活動量の多い午前や昼にカロリーの高いものや炭水化物をとるようにして、夕食は炭水化物をなるべく減らすというのがポイント！ エクササイズで消耗されるエネルギーを補充するために、全体的に高たんぱくの食品を摂取するのが重要だ。

Good morning!

7:00am 空腹時、胃をなだめる朝食

朝食では栄養分を十分に摂取しよう。脳へのエネルギー補給には炭水化物がよい。ここに提示した献立は、朝食後、通勤や家事などを行うことを想定したものだ。朝食後、特に動かなければ、体脂肪として蓄えられるので注意。

menu

雑穀米ご飯1/2杯、ナムル、
焼き魚、韓国版の茶碗蒸し、キムチ

10:00am 昼食前の空腹感をなだめる間食

空腹を感じるということは、人間の体が非常事態を認知したということである。こうなると、人間の体はさらに多くの脂肪を蓄えようとする。カロリーの少ないものを頻繁に摂取して、空腹感をなだめよう。

menu

無脂肪ミルク1杯、
フルーツ少々

12:00am

エクササイズ前に食べる昼食（2:00pmからエクササイズの予定）

午後からエクササイズをするという前提のメニューである。このときの食事において炭水化物は重要なポイントとなる。炭水化物は、エクササイズに必要なエネルギーを、最も多く供給するからである。

menu
芋1/2個または、雑穀米のご飯、
卵の白身で作った野菜巻き、
鶏ささみのサラダ

3:00pm

エクササイズ直後の補給食

非常に軽いので、1度の食事・間食としてカウントしない。
エクササイズ直後の速やかなたんぱく質補給は非常に重要だ。

menu
プロテインシェイク1杯、
クルミやアーモンドなど少々

4:00pm

夕食前の空腹感をなだめる間食

エクササイズによる筋肉ダメージの回復のため、天然のたんぱく質を摂取する必要がある。鶏ささみかマグロ、赤身などは良い動物性のたんぱく質である。またたんぱく質には空腹感をなだめる効果もある。

menu
手作りの鶏ささみシェイク1杯、
イチゴ少々

6:00pm

簡単な夕食

夕食以降は、活動がほぼないため、炭水化物の摂取はなるべくひかえる。このときにとった炭水化物は、そのまま体脂肪として蓄えられる確率が高い。良質のたんぱく質を摂取するようにしよう。

menu
鮭ステーキ、温野菜、
ハーブティー

8:00pm

就寝3時間前までに食べる簡単な間食

このときの間食は、食べるか食べないかの二者択一である（注：夕食をたくさん食べたら間食は省く）。夕食と朝食の間が長いため、ひどい空腹感に襲われることもあり、それを防ぐ目的でとる。

menu
トマト少々、セロリ1本、
きゅうり1/2本

11:00pm

Good night.

就寝

※プロテインシェイクはチョン・ダヨンが韓国にて開発、販売しているものです。
※焼き野菜、鶏ささみシェイクのレシピは170〜171頁に掲載しています。
※就寝3時間前はなるべく食べないよう心がけています。夕飯で満腹感があるときは、夜の間食を抜くときもあります。
※栄養分を補うためサプリメントのビタミンC、Eも間食時にとるようにしています。

Thu	Fri	Sat
全粒粉シリアル 低脂肪ミルク1杯 フルーツ ブロッコリーサラダ 	全粒粉サンドイッチ フルーツ 野菜ジュース1杯 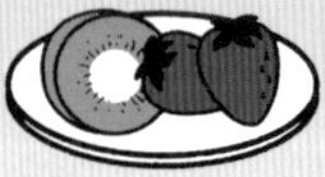	全粒粉パン1枚 ブロッコリースープ （鶏のささみ入り） 野菜ジュース1杯 
芋1/2個 ゆで卵3個（白身のみ）	イチゴ1カップ アーモンド7粒	オレンジジュース クルミ1粒
玄米（1/2杯） ナムル 薄味のスンドゥブチゲ キムチ少々 	雑穀ご飯（1/2杯） 焼き魚 ナムル 絹豆腐 	麦飯（1杯） 魚の野菜かけ煮物 ナムル 
プレーンヨーグルト プロティンシェイク りんご1/2個	バナナ1/2本 卵の白身料理	りんご1/2個 プロテインシェイク
鶏のささみ 焼き野菜 ハーブティー 	シーフード 海草サラダ 緑茶 	焼き鮭 焼ききのこ 漢方茶 
きゅうり1/2本 セロリ1本	トマト1個 ゆで卵2個（白身のみ）	梨1/4個

Jung Dayeon's one week menu

チョン・ダヨンの1週間の食事メニュー

Time	Mon	Tue	Wed
朝 7:00am	麦飯（1/2杯） 味噌汁（コンブ+大根） 焼き魚 ほうれん草ナムル 白キムチ 	全粒粉パン1枚 スクランブルエッグ トマトジュース1杯 	オートミール1杯 エッグサラダ オレンジジュース1杯 
間食 10:00am	無脂肪ミルク1杯 りんご1/2個	プレーンヨーグルト	無脂肪ミルク1杯 アーモンド7粒
昼 12:00am	えんどう豆ごはん（1杯） わかめスープ 焼き豆腐（150g） 野菜のピクルス きゅうりナムル	ビビンパ（玄米、野菜、鶏のささみ） 味噌汁（豆腐） キムチ少々	きびご飯（1/2杯） 味噌汁（ほうれん草） 焼き魚 キムチ（きゅうり） ナムル
間食 4:00pm	鶏ささみシェイク イチゴ少々 		バナナ1/2本 プロテインシェイク
夕 6:00pm	ステーキ小 （脂肪の少ない部位） 焼き野菜 ハーブティー 	焼き鮭 サラダ （色とりどりの野菜） 	シーフードしゃぶしゃぶ 緑茶
間食 8:00pm	トマト1個 	きゅうり1/2本 ゆで卵3個（白身のみ）	トマト1個 無脂肪ミルク1杯

Recipe 1

焼き野菜のゴマドレッシング添え

材料

- **野菜各種**
(きのこ類/ナス/韓国カボチャ〈ズッキーニのようなもの〉/パプリカ/玉ねぎ/トマト/その他好みの野菜)
- **エゴマの葉**

ドレッシングA

- 昆布ダシ(1カップ)
- すりゴマ(大さじ4〜5)
- みじん切りの玉ねぎ(2分の1個)
- みじん切りのにんにく(大さじ1)
- ゴマ油(大さじ1)
- ピーナッツバター(添加物のないもの)
- 塩、コショウ少々

作り方

1. 昆布ダシとすりゴマを混ぜる
2. フライパンを熱しゴマ油大さじ1をひき、みじん切りの玉ねぎとみじん切りのにんにくを炒める
3. 鍋に①と②を全部混ぜ、沸騰したら弱火にしてピーナッツバターを入れ、最後に好みで塩・コショウで味つけをする

ドレッシングB

(野菜本体に直接かけるドレッシング。 以下の材料を混ぜておく)

●オリーブオイル半カップ　●エゴマの葉を刻んだもの適量　●塩、コショウ少々

作り方

① 好みの野菜を準備し、すべての材料は大きめに切っておく

② オーブンをあらかじめ170〜180℃に熱しておく

③ オーブンの敷き皿にアルミホイルを敷き、その上にドレッシングBをはけで薄く塗る

④ ③の上に野菜を敷いて野菜の表面にもドレッシングBを少し塗り、オーブンでキツネ色になるまで焼き上げる

⑤ お皿の中心に野菜をミルフィーユのように重ね、飾りとしてエゴマの葉を千切りにして、氷水にさらしたものをその上にのせる

⑥ ⑤の周りにドレッシングAを添える

Recipe 2
鶏ささみシェイク

材料（2人分）

- **鶏ささみ約50g**
- **無脂肪ミルク200cc**
- **さつまいも1/2本**
- **はちみつ適量**
- **氷適量**

作り方

① 鶏ささみを酒（大3〜4）、ニンニク（3片）、長ネギ（5cm）を入れた湯（500cc）に入れ、しっかり火を通す

② 鶏ささみ→さつまいも（皮をむきやわらかくなるまでゆでたもの）→無脂肪ミルク→はちみつ→氷（好みで）の順にミキサーにかけ、液状になるまでかくはんする

Epilogue おわりに

最後まで読んでいただき、ありがとうございます。

今回の書籍は、２００４年に韓国で出版され、大ベストセラーとなった『私の愛したBomnal Fitness』をベースに作成されました。


あれから月日がたち、私たちのエクササイズについての研究もより進み、今回最新のエクササイズを掲載することができました。

ジムに行かなくとも、また、ダンベルなど新たに購入しなくとも、自宅ですぐできるエクササイズプログラムを掲載しました。


エクササイズの結果は正しい姿勢、正しいやり方でしか出ません。

正しい姿勢を理解してもらうために、ＤＶＤでその動作を確認してもらえるのは、とても嬉しいことです。

また、９週間プログラムも新しく組み直し、より効果が出る組み合わせを掲載することができました。


私のジムで、このプログラムを1週間ほど体験し、

「あなたみたいな体型にならないじゃないの！」

とおっしゃる方がいました。

何度も言いますが、エクササイズは魔法ではありません。続けることが肝心なのです。今まで運動していなかった人がこの9週間プログラムで一番変わるのは、エクササイズに対する姿勢です。

体を動かすことは、現代人にとっては

衣食住くらい大切なことなのです。

エクササイズを生活の一部としてとらえてもらうことが一番の目的です。


もちろん、９週間プログラムで体型も変わります。

全身が引き締まり、体重が減り、サイズダウンを経験する方もいるでしょう。

砂の上に家を建てることはできません。

皆さんは９週間でこの土台を作るのです。


そして、９週間後、あなたは気づくことでしょう。

美しいスタイルとは、一番健康な状態で得られる一つの贈り物にすぎないと。

疲れ知らずでいつでもはつらつとしていられる最高に健康な状態、これが美しさにつながるのです。

一生のうちの９週間をエクササイズに捧げるのか、どうしようかと先延ばしにするのか。

それを決めるのはあなたです。

この本は、一生あなたが輝いて過ごすための最初の駅までの切符のようなものです。

私と一緒に一生輝いた人生を選択しませんか？

DVD付《つき》
モムチャンダイエット
2007年 6月6日　第 1刷発行
2008年 8月6日　第13刷発行
著　者　チョン・ダヨン
発行者　野間佐和子
発行所　株式会社講談社
　　　　東京都文京区音羽2-12-21　〒112-8001
　　　　販売部　TEL.03-5395-3625
　　　　業務部　TEL.03-5395-3615
編　集　株式会社講談社エディトリアル
代　表　土門康男
　　　　東京都文京区大塚2-8-3　講談社護国寺ビル　〒112-0012
編集部　TEL.03-5319-2171
印刷・製本所　大日本印刷株式会社

価格はカバーに表示してあります。

本書の無断複写（コピー）は著作権法上での例外を除き禁じられています。

乱丁本・落丁本は、購入書店名を明記の上、講談社業務部あてにお送りください。

送料小社負担にてお取り替えいたします。

なお、この本についてのお問い合わせは、講談社エディトリアルあてにお願いいたします。

DVDは館内閲覧のみの使用に限ります。

©Jung Dayeon 2007,Printed in Japan
NDC595 176p 21cm ISBN978-4-06-214024-9

Staff

翻訳
金　庚芬
通訳
李　在涓　金　静希
写真
江頭　徹　山口隆司
ヘアメイク
井口直子　野口幸代
デザイン&DTP
田中小百合
イラスト
田中小百合
マンガ
斉藤ロジョコ

DVD撮影
江頭　徹　山口隆司　権藤隆雅
橋本　純
撮影助手
橋本　純　高橋茉莉絵　真野慎也
録音
江頭　徹　高橋茉莉絵　鈴木裕子
映像編集
江頭　徹　高橋茉莉絵　山口聡子
映像協力
菅原よう子　金井康史
（株式会社アスクメディア）

ナレーション
飯島晶子
撮影小物協力
Beauty Coach TSUBOI /
坪井篤史・智美
協力
亀田昭彦　野口理恵　李　在涓
（共同PR株式会社）
校正
小森里美
編集
山口聡子
（講談社エディトリアル）

実はダヨンさんはとっても絵が上手!!